L'HISTOIRE EST MON COMBAT

DU MÊME AUTEUR

Chez d'autres éditeurs :

Les Images de l'historien. Dialogue avec François Soulages, Klincksieck, 2007.
Mémoires, vol. 1. La brisure et l'attente : 1930-1955, Points, 2007.
Mémoires, vol. 2. Le trouble et la lumière : 1955-1998, Points, 2007.
Le Choix de l'histoire. Pourquoi et comment je suis devenu historien, Arléa, 2007.
L'Atlantide. Petite histoire d'un mythe platonicien, Points, 2007.
La Guerre des Juifs, Bayard Éditions, 2005.
Les Assassins de la mémoire. Un Eichmann de papier et autres essais sur le révisionnisme, La Découverte, 2005.
Le Chasseur noir. Formes de pensée et formes de société dans le monde grec, La Découverte, 2005.
Réflexions sur le génocide, 10-18, 2004.
Fragments sur l'art antique, A. Viénot, 2002.
Le Monde d'Homère, Perrin, 2002.
Le Miroir brisé. Tragédie athénienne et politique, Belles lettres, 2002.
Les Grecs, les historiens et la démocratie. Le grand écart, La Découverte, 2000.
La Torture dans la République. Essai d'histoire et de politique contemporaines, 1954-1962, Minuit, 1998.
La Démocratie grecque vue d'ailleurs. Essais d'historiographie ancienne et moderne, « Champs », Flammarion, 1996.
Les Juifs, la mémoire et le présent, Seuil, 1995.
L'Affaire Audin, 1957-1978, Minuit, 1989.

PIERRE VIDAL-NAQUET

L'HISTOIRE EST MON COMBAT

HACHETTE
Littératures

Collection fondée par Georges Liébert
et dirigée par Joël Roman

ISBN : 978-2-01-279408-5

Avant-propos

Le 14 juin 2006 marqua la fin de nos entretiens. À l'issue de cette ultime séance d'enregistrement, Pierre nous dit : « Envoyez-moi le manuscrit cet été, et vous savez bien que je vais tout réécrire. » Le sort a voulu qu'il en aille autrement.

Triste et difficile tâche, dès lors, que d'avoir à bâtir ce livre sans lui ; périlleux travail de rhapsode que de coudre ses paroles afin de les transmettre. Souhaitons que ceux qui ont eu le privilège d'être ses proches ou, comme moi, ses élèves retrouvent sa voix et que d'autres lecteurs découvrent un homme singulier.

Si ce livre conserve un caractère inachevé, et parfois fragmenté, il est néanmoins un condensé fidèle de l'œuvre de Pierre Vidal-Naquet : riche de très nombreux thèmes, le livre comme d'ailleurs l'œuvre elle-même sont aussi faits de silences et d'énigmes, de reprises et d'enrichissements permanents.

Pour réfléchir à tel ou tel point de nos entretiens, d'une fois sur l'autre, je me reportais souvent à ses textes. Avec surprise, je constatais que la formulation orale réactualisait, dans leur complexité, les analyses parfois anciennes, aux mots et aux images près, comme si la répétition faisait partie aussi de sa méthode de travail – revenir, compléter, creuser, amender inlassablement. Retours incessants d'une pugnacité qui ne l'a jamais quitté. À l'évocation de tel événement ou de telle découverte, avec ardeur Pierre Vidal-Naquet s'indignait ou s'enthousiasmait, revivait, en quelque sorte, les temps forts de sa réflexion, refaisait « en direct » son chemin. Nulle pensée figée chez lui, mais un attachement à soi jamais démenti.

« J'ai pris d'innombrables détours », dit-il de sa méthode. Et, en effet, comment ne pas être frappé par le caractère inclassable de l'œuvre et de son auteur ? Depuis l'Atlantide de Platon jusqu'aux luttes anticoloniales, Pierre Vidal-Naquet n'a cessé de réfléchir en historien et de prendre position en citoyen.

Tel le taon qu'était Socrate pour ses concitoyens, il pointe les ambiguïtés et les tensions de la société grecque, déconstruit, en somme, une Grèce idéalisée par la tradition. Cette acuité, il en fait preuve, aussi, quand il établit de façon irréfutable que Maurice Audin est mort en Algérie sous la torture, et que ce crime a été dissimulé au nom de la « raison d'État ». Avec obstination, il démonte les mécanismes du mensonge négationniste. Indigné chronique, passionné, parfois jusqu'à l'excès – à une question portant sur l'attitude de Heidegger sous le IIIe Reich, il répondait inlassablement : « Heidegger, je le tue ! » –, il atteint sa cible en dépassant son émotion.

Comment chercher le vrai, s'en approcher, et ne jamais cesser de demander des comptes à la cité ? En s'acharnant sur le détail, en mettant les textes « à la question », il se révèle un enquêteur implacable. Ce qui l'anime, c'est le souci de rester fidèle à son idéal d'historien : « L'historien, cet homme libre par excellence, ne se partage pas. Même au plus vif d'une polémique, il ne peut que demeurer un historien, c'est-à-dire un traître face à tous les dogmes – théologiques, idéologiques, voire prétendument scientifiques. [...] L'historien est un praticien de la vérité. »

Dans les pages qui suivent, Pierre Vidal-Naquet évoque souvent Flavius Josèphe et les textes qu'il lui a consacrés ; en particulier celui qu'il a intitulé *Flavius Josèphe ou du bon usage de la trahison*. Josèphe, ce Juif du Ier siècle, passé dans le camp romain après les troubles qui secouent la Judée, et devenu Flavius Josèphe, l'historien de la *Guerre des Juifs* jusqu'à la chute de Massada.

À partir du personnage paradoxal de Flavius Josèphe, il a tenté de penser un usage paradoxal, fertile, de la trahison, une trahison qui n'est pas un abandon, mais un dégagement, un détachement de toute entrave. Cette notion, trempée dans la tragédie de la vie, Pierre Vidal-Naquet en a fait un objet de pensée qui l'a conduit à traverser les frontières chronologiques, disciplinaires et idéologiques. Dans ses choix et dans ses engagements politiques, il se place au côté des victimes, comme si la question : « Qui sont les miens ? » n'avait jamais cessé de l'habiter.

Sans doute est-il significatif que Pierre Vidal-Naquet, méditant sur les mauvais usages de la trahison non moins que sur les bons, ait souhaité conclure ces entretiens en évoquant les fidélités en amitié et sa propre fidélité envers son enfance, illuminée par la poésie.

Hélène Monsacré

octobre 2006

Chapitre I

Les années d'apprentissage

« Au moins pour Lucien[1] *des cérémonies eurent lieu et des notices furent rédigées par ses anciens confrères, Paul Arrighi, André Boissarie. Le 11 juillet 1946, le garde des Sceaux, Pierre-Henri Teitgen, présida au Palais une cérémonie à la mémoire des avocats à la cour de Paris morts pour la France. L'orateur était le bâtonnier en exercice, Marcel Poignard. Il ne put parler de tous les avocats juifs disparus – il y en avait trop –, mais il esquissa le portrait de quelques-uns, dont Lucien. Il nous révéla que Lucien avait été torturé, à Marseille, condamné, d'après le témoignage d'une avocate qui survécut, "sous le fouet à une sorte de ronde infernale jusqu'à ce qu'il tombât exténué...". Il osa ajouter : "La déportation fut pour lui l'illusion d'une délivrance." [...]*

1. Lucien Vidal-Naquet, 1899-1944 (?), père de Pierre Vidal-Naquet.

Sur le plan officiel, Lucien fut "cité à l'ordre de la nation" et décoré de la "médaille de la Résistance". Mais Margot[1] *? Oserai-je le dire ? Lucien avait été un résistant, il aurait pu mourir comme tel, et, en un sens, il avait souhaité "mourir pour la France". Qu'il ait été tué par l'ennemi, à l'ennemi comme on le dit dans les communiqués, est quelque chose que je peux comprendre et assumer. Je ne puis ni comprendre ni assumer le meurtre de ma mère. Et cela reste vrai en 1995 comme c'était vrai en 1945. Et que l'on ne me parle pas des victimes des bombardements. Elles existent, nul ne l'ignore. Mais, dans le cas du meurtre dont je viens de parler, chaque exécution a été voulue, individuelle, personnelle, même si tout s'est passé dans l'anonymat.* »

Mémoires. I. *La brisure et l'attente, 1930-1955,*
Paris, Seuil/La Découverte, 1995, pp. 177-178.

1. Margot Valabrègue, 1907-1944 (?), épouse de Lucien et mère de Pierre Vidal-Naquet.

Une famille républicaine et laïque

Vous avez perdu vos parents à l'âge de quatorze ans. Raflés par la Gestapo, le 15 mai 1944, ils sont morts à Auschwitz. Dans tous vos écrits, vous n'avez cessé de revendiquer l'héritage laïque et républicain de votre famille.

Notre patrie, c'était la République, et dans la France de l'Affaire Dreyfus, les miens avaient choisi leur camp. Mon père refusa l'exemption de service qu'auraient pu lui valoir ses enfants. Il fut assommé et par la défaite et par le statut des Juifs. Dans son *Journal (15 septembre 1942-29 février 1944)*, que j'ai publié en 1993, mon père écrivait : « Je reçois comme Français l'injure qui m'est faite comme Juif. » Rayé du barreau en mai 1942, il considéra que la patrie qu'il aimait de toutes ses forces l'avait trahi.

Dès 1940, il entra dans la Résistance, au réseau du Musée de l'Homme puis au Front national, l'organisation créée en 1941 à l'initiative du Parti communiste clandestin pour coordonner l'action des mouvements de résistance de tous les horizons. Il refusa de partir à l'étranger comme de trouver un refuge en France : il était incapable de fuir. C'est dans la maison qu'avait fait bâtir mon grand-père maternel que la Gestapo vint le cueillir avec ma mère.

Votre grand-père, ami de Léon Blum, a été un dreyfusard ardent. Quelle place l'Affaire Dreyfus tient-elle dans l'histoire de votre famille ?

C'est un épisode central qui a joué un rôle décisif dans ma vocation d'historien. Mon père me l'a raconté en 1942 ou 1943. Je l'ai pris à la fois comme l'histoire d'une injustice – qui paraissait bénigne par rapport à ce que nous vivions à cette époque –, mais aussi comme la croyance dans le triomphe possible de la vérité.

Dans l'Affaire Dreyfus, il y aussi toute l'histoire d'une réhabilitation.

En effet. Ce qui m'a passionné dans l'affaire Dreyfus, c'est qu'elle a été un exercice d'historiographie *on the spot* – « immédiate ». Les historiens ont joué un rôle éminent dans la réhabilitation de la victime. L'exemple le plus extraordinaire que j'aie trouvé – je ne suis pas le seul –, c'est celui des *Preuves* de Jean Jaurès. Jaurès est le seul homme politique, au fond, auquel j'ai eu envie de m'identifier, parce qu'il est à la fois dans le présent, dans l'action, et dans la recherche archivistique. Pour moi, c'est la guerre d'Algérie qui a été le déclic, qui a fait de moi un dreyfusard en action.

Vous vous sentiez davantage en affinité avec Jaurès qu'avec Mendès France ?

Ce n'est pas que je n'aime pas Mendès France, mais, sur les questions coloniales, bien qu'il ait admis qu'il pouvait y avoir une colonisation envisageable, Jaurès allait plus loin que lui. Il n'aurait pas dit « l'Algérie, c'est la France ».

Avez-vous connu Léon Blum ?

Il se trouve que mon meilleur ami, Charles Malamoud [1], a épousé la petite-fille de Léon Blum, qu'il a connue chez moi – j'étais même le témoin de leur mariage. J'ai été admis à l'agrégation d'histoire en 1955, et Robert Blum, le fils de Léon, m'a dit : « Puisque vous êtes historien, vous allez travailler pour l'édition des œuvres de mon père. » Avec mon collègue Georges Dupeux, lui aussi au lycée d'Orléans, je me suis occupé du volume qui allait de 1945 – la libération de Léon Blum, de retour de Buchenwald – à la rupture avec les communistes en 1947. Publié en février 1958 aux Éditions Albin Michel, ce volume s'appelle *Naissance de la Quatrième République, la vie du Parti et la doctrine socialiste, 1945-1947*. Ce fut ma première publication dans le champ de l'histoire contemporaine, précédant de peu *L'Affaire Audin*.

J'ai rencontré Blum à plusieurs reprises, une première fois chez Sam Spanien, qui avait été l'avocat de Blum à Riom. J'ai vu arriver ce vieux monsieur qui m'a dit qu'il était un ami de longue date de mon grand-père Edmond

1 Charles Malamoud, linguiste et anthropologue, directeur d'études honoraire à la section des sciences religieuses de l'École pratique des hautes études, est spécialiste de la civilisation de l'Inde ancienne : *Cuire le monde* (1989) ; *Le Jumeau solaire* (2002) ; *Féminité de la parole* (2005) ; *La Danse des pierres* (2005).

Vidal-Naquet; je possède d'ailleurs une édition de ses *Œuvres* dédicacées à mon grand-père. Mon père, Lucien Vidal-Naquet, avocat et collaborateur d'Alexandre Millerand, était plutôt à droite, mais il avait été ébloui par les déclarations de Léon Blum à Riom, et le lui avait écrit. Léon Blum lui a répondu en le remerciant de son élégance. Mon père disait qu'il s'était trompé en politique extérieure en croyant qu'il était possible de s'entendre avec la République de Weimar. Il avait un adage, qu'il répétait volontiers au Palais: « La situation sera grave tant que Poincaré sera mort ! » ; c'était le Poincaré intransigeant devant l'Allemagne qu'il admirait. Mais, paradoxalement, il me disait: « Il faut être de gauche, crois-moi. » Très fermement patriote et antifasciste, mon père répétait qu'il n'y a pas de bonne dictature. Quand ma mère lui disait qu'elle trouvait que Salazar était un bon dictateur – c'était une opinion absolument courante à l'époque –, il lui répondait: « Non, crois-moi, il n'y a pas de bon dictateur, ça n'existe pas. »

Votre famille est républicaine et laïque. Étiez-vous complètement coupé du judaïsme ?

Complètement – mais n'exagérons rien. Ma femme me rappelle souvent qu'en 1958, au cours d'un petit voyage que nous avions fait en Normandie, je lui avais dit : « S'il fallait absolument choisir une religion, pourquoi au fond ne prendrais-je pas la religion de mes aïeux ? Elle n'est pas plus mal qu'une autre. » Cela dit, je n'ai jamais fréquenté la synagogue. Mon arrière-grand-père était déjà athée. Pendant le siège de Paris, il était revenu de Montpellier pour faire le garde national à Paris ; et il écrivait à sa femme, qui était restée à Montpellier, et dont le frère était préfet de la Défense nationale : « Ne dis surtout pas à papa que je t'écris le jour de Kippour » – ou plutôt, comme on disait à l'époque, le jour du Grand Pardon.

Mon grand-père disait qu'il voulait sortir de son cercueil, si un rabbin était présent à ses obsèques, pour l'étrangler ; mon père, dès qu'il a épousé ma mère, l'a fait manger le jour de Kippour ; enfant, je n'ai mis les pieds à la synagogue qu'une fois, à l'occasion du service en l'honneur des morts pour la France en 1940 – c'était à Marseille. J'ai appris depuis (je ne le savais pas du tout à l'époque) que mon père, justement, avait été à la synagogue à Versailles, à peu près le même jour, pour ce même service, en disant : « Ce n'est pas le moment de renier sa religion. » Mon père appartenait à cette catégorie de bourgeois juifs déjudaïsés, comme disait Raymond Aron. Pour lui, comme pour ses ancêtres, la religion était la religion républicaine.

Votre père vous disait : « Crois-moi, il faut être de gauche. » Pourquoi n'avez-vous pas adhéré au parti communiste, comme la plus grande partie des intellectuels de votre génération et de votre entourage ?

Pierre Nora n'a pas non plus été membre du PC. François Furet, lui, est parti en deux temps : il a cessé de militer après le rapport Khrouchtchev, mais il n'a réellement quitté le Parti qu'en 1958. De même Annie Kriegel, contrairement à ce qu'elle raconte ; je l'ai connue quand elle en était encore membre : elle était très sévère, féroce à l'égard de la politique du Parti, mais c'était encore son Parti, elle l'a quitté après.

Quand j'ai pensé à adhérer au parti communiste, vers 1948-1949, j'étais en khâgne et j'ai vraiment été tenté. J'en ai parlé à mon ami Charles Malamoud et je lui ai dit : « Voilà, je vais entrer au parti communiste pour faire de l'opposition à Staline. » Il a un peu ri et m'a répondu : « Il vaut mieux que tu restes en dehors, parce que, faire de l'opposition à Staline, ça t'entraînerait trop loin. » Quelque temps après, nous avons lu ensemble le « livre bleu » hongrois sur l'affaire Rajk. Ce dernier était un ancien ministre des Affaires étrangères de la Hongrie populaire, un communiste de longue date, qui avait avoué qu'il était un espion depuis la plus tendre enfance. Il racontait des tas de choses manifestement dictées par les enquêteurs. Nous avons lu ensemble ce livre, et nous sommes parvenus à la conclusion qu'il s'agissait d'un tissu de mensonges.

À la même époque est paru dans *Esprit* un article, devenu célèbre, de François Fejtö, qui s'appelait « L'affaire Rajk est une affaire Dreyfus internationale » (novembre 1949), et qui donnait son témoignage formel sur la personne de László Rajk, montrant que toute cette histoire ne tenait pas. Cet article m'a entièrement convaincu. Il y avait quelque chose, dans ces aveux ténébreux, qui rentrait jusqu'au fond de l'âme. Mais le tout était de savoir jusqu'où on pouvait aller. C'était, par ailleurs, le moment où *Le Zéro et l'Infini* d'Arthur Koestler connaissait un immense succès. J'aurais pu être trotskiste. La seule tentation qui m'ait effleuré, en dehors du communisme, c'est le trotskisme, tendance « Socialisme ou Barbarie ». À partir du moment où je n'étais pas stalinien, j'étais conduit à lire les œuvres de Trotski – et les œuvres de Trotski ont achevé de me débarrasser de toute tendance stalinienne.

C'est ainsi qu'un jour je me suis surpris à lire *Le Figaro* dans le métro. Je me suis dit : il y a quelque chose qui ne va pas – si je lis *Le Figaro*, journal alors notoirement de droite, c'est un petit peu inquiétant. À l'époque, non seulement on lisait *Le Figaro* chez moi, mais un de mes premiers textes a été publié dans l'enquête de François Mauriac sur la jeunesse et ses perturbations – à laquelle j'ai répondu ironiquement que ce que disait François Mauriac ressemblait beaucoup à ce que disent bien des personnes âgées.

Pourtant, vous avez de l'admiration pour Mauriac.

Pendant la guerre d'Algérie, François Mauriac a été extraordinaire. À vrai dire, si je suis pour Mauriac, c'est plutôt tendance Claude...

*Pourriez-vous dire quelques mots d'*Imprudence*, cette revue qui n'a eu que trois numéros et que vous avez fondée avec Pierre Nora en 1948 ?*

Ce qui était intéressant dans ce journal, c'est que chaque numéro représentait une révolution culturelle par rapport au précédent.

Le premier numéro était encore bien sage. Nora et moi tentions d'y décrire la situation dans laquelle nous nous définissions comme une génération qui aurait bien voulu faire la guerre, mais qui ne l'avait pas faite. Aujourd'hui, le clivage ne passe pas du tout par là : il passe par ceux qui ont connu la guerre, et ceux qui ne l'ont pas connue. À l'époque, il y avait, d'un côté, ceux qui avaient fait la guerre et, de l'autre, ceux qui ne l'avaient pas faite

Dans le deuxième numéro, l'éditorial, que j'avais rédigé avec Nora, s'intitulait « L'avant-garde n'est à personne » ; il s'agissait d'expliquer pourquoi, en 1948, il n'était plus possible d'être surréaliste. La révolution devait désormais se faire sur un plan moral. Nous avions imprimé sur la couverture un texte de René Char à qui nous avons envoyé ce numéro en tremblant. Nous avons reçu une lettre enthousiaste, que j'ai naturellement conservée ; nous étions éblouis. Cette lettre était en même temps un poème magnifique, dans lequel il disait : « Restez du bond, déclinez le festin. [...] Je vous souhaite de conserver longtemps le pouvoir, l'honnêteté et l'ardeur de vous exprimer. »

Le troisième et dernier numéro était, naturellement, placé sous le signe de Char : il nous a donné le prélude à un poème filmé qui s'appelait « Sur les hauteurs ».

Et quels furent vos liens avec la revue Esprit *?*

Esprit tient une grande place dans ma vie. Ma famille s'était liée avec les Mounier à Dieulefit. On m'a souvent demandé pourquoi je m'étais mis à écrire dans *Esprit* et non dans *Les Temps modernes.* Claude Lanzmann, notamment, m'a souvent posé la question. La réponse était que nous avions connu les Mounier pendant l'Occupation. Ce qui m'intéressait dans Emmanuel Mounier, c'était d'abord une partie de son œuvre, notamment le *Traité du caractère* (1946), et puis ce qu'il appelait « l'intelligence engagée-dégagée ». En particulier par rapport à Sartre et à son engagement fracassant au lendemain de la guerre – parce que, sans vouloir être méchant, Sartre a commencé vraiment sa résistance à la Libération ! Il avait été d'esprit résistant, mais il n'a pas beaucoup agi. On l'avait chargé d'occuper la Comédie française à la Libération, ce qui n'était pas, à proprement parler, le lieu le plus stratégique...

Nous n'avons connu à Dieulefit qu'un Mounier parfaitement résistant ; il avait fait des mois de prison et avait été finalement acquitté faute de preuves par le tribunal de Valence. Il avait écrit l'éditorial du *Résistant de la Drôme*, qui s'appelait « Contre la sentimentalité Pétain ». J'en ai rendu compte récemment, dans le numéro d'*Esprit* de septembre-octobre 2005. *Esprit* est la seule revue qui ait eu le courage de réimprimer la totalité des numéros de 1940-1941, avec une édition commentée par Bernard Comte[1] – et Bernard Comte est l'honnêteté intellectuelle faite historien. Alors les accusations de Zeev Sternhell[2] sur les origines françaises du fascisme sont, à mon avis, totalement dénuées de fondement. Tout ce qu'on peut dire, à l'extrême rigueur, c'est que Mounier, qui était un esprit ouvert, n'a nullement été fasciste, mais a pourtant dit quand il était à Rome : « Il y a quelque chose, là-dedans, qui est intéressant. » C'est tout. Mounier a été profondément antifasciste et antimunichois en 1938, ce qui ne fut pas le cas, par exemple, de Maurice de Gandillac[3] qui s'était rallié à

1. *Esprit, de novembre 1940 à août 1941*, Paris, Éd. Esprit, 2004. La revue finira par être interdite en 1941.

2. Historien israélien spécialiste de la droite française.

3. Né en 1906 et mort en 2006, il fut professeur d'Histoire de la philosophie à la Sorbonne. Spécialiste de Nicolas de Cues, premier traducteur en

Munich, contre la position d'*Esprit*. Franchement, si les Français n'avaient à se reprocher que cela, la position d'*Esprit* pendant la guerre, ce ne serait pas beaucoup… Ce qui est frappant, c'est que le personnage de Pétain n'apparaît pas dans la revue. Je crois qu'il est nommé une fois, et une autre fois où l'on dit « le chef de l'État ». Mais, de silence plus grand à cette époque, je n'en connais pas – il faut que Sternhell n'ait rien compris, pour ne pas voir que c'était une position de franche hostilité. On peut dire que peut-être c'eût été mieux de ne pas paraître du tout – c'était la position de Marrou [1] et de quelques autres. Mais l'atmosphère était incontestablement une atmosphère résistante.

Le cursus universitaire

Après votre licence de lettres, vous vous orientez, à la IVe section de l'École pratique des hautes études, vers la

---

français de Walter Benjamin, il est l'auteur, entre autres travaux, de *Genèse de la modernité*, Le Cerf, 1992.

1. Henri-Irénée Marrou (1904-1977), historien français et musicologue, spécialiste du christianisme primitif, fondateur des *Études augustiniennes*. Il est nommé professeur à la Sorbonne en 1945. Ses travaux portent principalement sur les Pères de l'Église : *Saint Augustin et la fin de la culture antique* (1938) ; *Histoire de l'éducation dans l'Antiquité* (1948) ; *Saint Augustin et l'augustinisme* (1955).

philosophie de l'histoire, avec un travail sur Platon. Quelles sont les rencontres marquantes que vous y faites ?

Henri Margueritte et Victor Goldschmidt. Margueritte était un homme qui réinventait le monde d'une semaine à l'autre, reprenant ses cours, les complétant, les transformant en permanence. C'était un ancien dominicain, devenu tout ce qu'il y a de plus laïc et communiste, camarade de promotion d'André-Jean Festugière, qui travaillait essentiellement sur les rapports entre les dialogues de Platon et la tradition pythagoricienne. Son communisme ne transparaissait pas du tout dans ses cours. Mais un jour, il nous a fait observer une minute de silence à la mémoire des Rosenberg... C'était une sorte de Socrate, sauf qu'il écrivait et qu'il lisait le cours qu'il avait composé la veille et l'avant-veille. Il avait été le maître de Goldschmidt, qui était, lui aussi, de formation philologique. Il m'avait dit : « Quand je prendrai ma retraite, je vous réserve ma place. » Mais il est vrai qu'il a dit la même chose à Jacques Brunschwig[1], et probablement à d'autres encore !

---

1. Jacques Brunschwig, philosophe, spécialiste d'Aristote et des écoles hellénistiques. Il a publié *Études sur les philosophies hellénistiques. Épicurisme, stoïcisme, scepticisme* (1995) ; avec Geoffrey Lloyd, *Le Savoir grec* (1996).

Mon autre maître, en ces années, a été Goldschmidt, qui a fait carrière au CNRS, mais n'a jamais été élu professeur à la Sorbonne ; il considérait d'ailleurs que les gens de Paris-IV étaient ses ennemis. Dans sa thèse, *Les « Dialogues » de Platon : structure et méthode dialectique*, parue en 1947, il avait révolutionné les études platoniciennes en montrant qu'il y avait une structure commune de tous les dialogues, sauf dans les *Lois* naturellement... Il a écrit aussi une *Religion de Platon*, ce qui avait le don de mettre Luc Brisson dans un état de fureur. Comment ose-t-on parler de la religion de Platon ? disait-il... De même qu'il y avait une autre chose que Brisson ne pouvait pas supporter : les spéculations sur les nombres. Elles sont visibles comme le nez au milieu de la figure, chez Platon, et dès l'Antiquité on les a connues, mais Brisson n'aimait pas ça, c'est un platonicien rationaliste !

En quoi Victor Goldschmidt vous a-t-il « appris à travailler » ?

Avec moi, il a fait de la maïeutique, c'est-à-dire qu'il me forçait à découvrir les choses, il m'accouchait. C'était un bonhomme tout à fait extraordinaire.

Je le rencontrais à la Bibliothèque nationale, et il m'emmenait chez Poccardi, qui était l'unique endroit à l'époque où on trouvait du bon café italien. Nous prenions un café, et nous discutions beaucoup. Il a toujours répondu aux papiers que je lui envoyais, mais il s'est fâché lorsque j'ai écrit sur Israël – là il s'est fâché tout rouge... Il était converti au protestantisme, mais n'en restait pas moins très très pro-Israélien.

Avant de passer l'agrégation d'histoire, en 1955, vous vous êtes présenté au concours d'entrée de l'École normale supérieure (ENS), sans succès. Vous êtes souvent revenu sur cet échec qui, semble-t-il, vous a beaucoup marqué. Pourquoi ?

En effet, je ne suis pas normalien. Lorsque j'ai été collé pour la troisième fois, mon cousin Jacques Brunschwig m'a dit : « Tu y enseigneras un jour » ; ce que j'ai fait. Il n'empêche, j'ai très mal vécu cet échec répété.

En quoi êtes-vous fidèle à ce type d'enseignement... qui est aussi l'enseignement pour l'élite ?

Je suis fidèle à l'élitisme. Mon fils aîné est révolté contre moi à ce sujet, lui est violemment contre. Il y a des gens qui sont collés à l'ENS et qui rêvent qu'au moins leurs fils y entreront, eh bien moi, j'aurai été un peu comme ça.

C'est étrange, cette blessure narcissique. Vous avez fait tellement de choses, après, et très vite...

Bien sûr, et puis j'ai eu la chance de ma génération : il y avait des postes à l'université, et il y a eu l'École des hautes études en sciences sociales.

Une querelle vous a opposé à Georges Duby et, de façon amusante, elle jouera un rôle lors de votre soutenance de thèse d'État. De quoi s'agissait-il ?

J'ai assez peu connu Georges Duby. Nous sommes entrés en conflit au moment où est paru un manuel de sixième qu'il avait patronné, et qui était véritablement un scandale.

Pour la partie d'Histoire ancienne ?

Oui. Et j'ai écrit avec Édouard Will[1] et Claude Nicolet[2] un article au vitriol, qui s'appelait « Vercingétorix né sous Vichy ». C'était une allusion à une chanson qui s'appelait *Le Lycée Papillon*... C'était un article extrêmement méchant, et ensuite, quand il a été question de ma candidature au Collège de France... il s'en est souvenu et a dit : « Non, jamais. »

Vous avez toujours aimé relever les erreurs ; mais il a bien dû vous arriver d'en commettre vous-même ?

Écrire des bêtises, oui, ça m'est arrivé. Et une de mes bêtises a même été corrigée le jour de ma soutenance de thèse. Jean Pouilloux[3] a déniché une grossière erreur, où j'avais parlé du *Pompeion* qui était le point de départ des

---

1. Édouard Will (1920-1997), spécialiste d'histoire grecque, a notamment publié *Histoire politique du monde hellénistique* (1966-1967), *Le Monde grec et l'Orient* (1972-1975).

2. Claude Nicolet, spécialiste de la Rome antique, des institutions et des idées politiques. Parmi ses travaux : *Le Métier de citoyen dans la Rome Républicaine* (1976) ; *La Fabrique d'une nation, La France entre Rome et les Germains* (2003).

3. Helleniste et épigraphiste, traducteur, notamment de Philon d'Alexandrie aux Éditions du Cerf.

processions à Athènes, alors que j'avais cru que c'était le centre du culte de Pompée. Alors, il s'est payé ma fiole et, derrière moi, j'ai entendu des gens qui chuchotaient : « Général Staff, général Staff[1]... »

---

1. Allusion à une faute de traduction célèbre, relevée par Pierre Vidal-Naquet (article paru dans *Le Monde* en 1974), où « état major » *(General Staff)* devient le général Staff.

Chapitre 2

Le métier d'historien

« Si loin que je remonte dans l'histoire de mon travail, telle a, en effet, été mon ambition : faire communiquer ce qui ne communique pas naturellement, selon les critères habituels du jugement historique [...].

Formes de pensée, formes de société. Des textes littéraires, philosophiques, historiques, des récits mythiques ou des analyses descriptives, d'une part, et, de l'autre, des pratiques sociales : la guerre, l'esclavage, les institutions juvéniles, l'érection des monuments commémoratifs ; l'imaginaire de la cité, de ses citoyens, d'un côté, avec ce qu'il comporte de réel, et le monde très concret des rites, des décisions politiques, du travail, dont il s'agit de montrer qu'ils ont aussi une dimension imaginaire. Quoi de plus abstrait, en principe, qu'une théorie de l'espace, quoi de plus concret qu'une bataille victorieuse ?

Ce que je rapproche peut, très légitimement, faire l'objet d'études séparées, et il a pu m'arriver de contribuer à la recherche dans ces deux domaines séparés. C'est leur jonction qui m'intéresse ici. »

Le Chasseur noir. Formes de pensée et formes de société dans le monde grec, Avant-propos, Paris, Maspero, 1981, p. 14.

Une vocation

Comment vous est venue la vocation d'historien ?

En réalité, ma première vocation était d'être poète, et le premier poème que j'ai écrit, alors que j'étais en sixième, était un résumé de l'histoire de France. Cela commençait ainsi :

D'abord les Mérovingiens,
ensuite les Carolingiens,
puis enfin les Capétiens
viennent au trône des Françaliens.

Et ça continue audacieusement :

Puis ce fut la Révolution
d'où sort enfin Napoléon,
qui ramène les Bourbons.

Ce fut enfin la République,
autrement dit chose publique,
acclamée par la voix publique.

Et puis je me suis aperçu que j'avais oublié le Second Empire :

Mais j'oubliais de vous le dire,
il y eut un Second empire
qui ne fut hélas pas moins pire
que le premier de nos empires.

Voilà donc ma première étude d'histoire, écrite en 1941. À l'époque, je lisais Louis-Pierre Anquetil. C'était un historien d'extrême droite, qui écrivait au temps de la Restauration et de la Monarchie de juillet, et qui racontait la mort de Louis XVI avec des trémolos dans la voix.

Je dois à mon père de m'avoir fait connaître un texte qui m'a profondément marqué. Il s'agit du célèbre article de Chateaubriand paru dans le *Mercure* de juillet 1805, qui mit en fureur Napoléon :

« *Lorsque, dans le silence de l'abjection, l'on n'entend plus retentir que la chaîne de l'esclave et la voix du délateur ; lorsque tout tremble devant le tyran et qu'il est aussi dangereux d'encourir sa faveur que de mériter sa disgrâce, l'histo-*

rien paraît, chargé de la vengeance des peuples. C'est en vain que Néron prospère, Tacite est déjà né dans l'empire ; il croît inconnu auprès des cendres de Germanicus, et déjà l'intègre Providence a livré à un enfant obscur la gloire du maître du monde. »

Passons sur la mégalomanie qu'il fallait à Chateaubriand pour écrire un tel texte et croire avoir percé les secrets de « l'intègre Providence » ; passons aussi sur l'encore plus grande mégalomanie qui était la mienne à l'époque puisque je m'identifiais plus ou moins à « l'enfant obscur » dont parle Chateaubriand, c'est-à-dire à Tacite !

Ce texte, je l'ai cité, récité, commenté bien des fois ; il est sûr qu'avec le récit de l'Affaire Dreyfus, il occupe une place importante dans ce que mon père m'a légué.

Il y a eu un second temps de ma vocation d'historien : la lecture de *L'Étrange Défaite* de Marc Bloch. Je me suis dit : « Si c'est ça, faire de l'histoire, voilà typiquement l'histoire que je voudrais écrire. » En hypokhâgne, je me suis approché de cela d'une façon un peu paradoxale, à la suite d'un devoir sur le roman. J'ai présenté le roman, et surtout Balzac, comme une réflexion sur la totalité. Je me suis dit qu'au fond la science de la totalité, c'est l'histoire, le meilleur moyen de m'intéresser à tout ce qui me passionnait : l'histoire elle-même, bien entendu, surtout l'histoire contemporaine, que j'appréhendais avec quelques cadres marxistes, la philosophie et la littérature, c'est-à-dire la poésie, le roman et le théâtre. La décision de faire de l'histoire a été prise en réalité à ce moment-là, en hypokhâgne, à la suite d'un devoir sur le roman...

Lors de ma dernière année de classe préparatoire, à Marseille, j'ai décidé de préparer une agrégation d'histoire. En khâgne, on avait l'habitude de passer ce qu'on appelait à l'époque des certificats. J'en avais passé quatre, qui me donnaient une licence libre : français, latin, grec, morale et sociologie.

Pourquoi avoir choisi la spécialité « Histoire grecque » ?

Les choses sont très claires et très simples. J'étais tellement passionné par le contemporain que, en hypokhâgne, je pensais que je ferais une thèse sur la guerre d'Espagne. On ne peut pas trouver sujet plus contemporain et plus conformiste de gauche, si l'on peut dire. Puis un jour, je rencontre à Marseille mon vieux camarade Alain Michel, qui a été le maître des études latines à la Sorbonne, après Pierre Grimal, auquel il a succédé.

Il me parle d'un de ses camarades normaliens, et me dit : « Cet imbécile, il veut travailler sur la philosophie de l'histoire, et il lit Hegel. Quel fou ! Comme si tout n'était pas déjà dans Platon. » Je n'ai pas cru un mot de ce qu'il disait là, mais je me suis dit qu'étudier la conception de l'histoire chez un philosophe dont la caractéristique première est de refuser l'histoire, ça ne pouvait être qu'intéressant. Alors que je n'avais pas encore fini ma licence, je suis allé trouver Marrou, parce que je trouvais que c'était l'antiquisant le plus intelligent de la Sorbonne, et je lui ai dit : « Voilà, je voudrais travailler sur la conception platonicienne de l'histoire. » Il m'a fortement encouragé. J'ai donc travaillé sur ce sujet juste après mon mariage ; je l'ai fait en 1952-1953, après avoir passé mon dernier certificat de lettres classiques, celui de grammaire et philologie, et je l'ai rendu en octobre 1954. Marrou m'a dit que c'était là le brouillon d'un livre qui compterait. Il m'a mis 19, note qui ne lui était pas très familière, et je me suis senti tout heureux, guéri de ma non-entrée à l'École normale.

Je me suis alors trouvé dans une situation un peu étrange : j'avais un diplôme d'histoire qui était en réalité un diplôme de philosophie, puisqu'en le faisant je n'avais lu aucun livre d'histoire ; j'avais traité cela comme une étude de la pensée de Platon, en tentant d'en trouver les structures.

Vous vous présentez néanmoins à l'agrégation d'histoire ?

Oui, et j'ai été reçu devant tous les normaliens. Le premier normalien devait être quatrième. C'était Charles Bourel de La Roncière. Il s'est tourné vers moi gravement, et m'a dit : « Au fond, tu aurais été digne d'être normalien. » Cela dit, il est vrai que mes échecs à Normale m'ont beaucoup marqué, il ne faut pas le cacher. J'aurais préféré être normalien, c'était mon rêve.

Que pensez-vous de ce système de grandes écoles à côté du système de l'Université ?

Je pense qu'il faut absolument les conserver ; il faut qu'il y ait une rivalité. Notre rêve à tous, à Zayane Spanien pour le Tibet, à Charles Malamoud pour l'Inde ancienne, et à moi-même pour la Grèce, c'était d'entrer à l'École des hautes études ; et c'est vrai que toute ma génération d'amis a fini par y enseigner.

J'ai donc fait ce diplôme et, ensuite, il était très difficile de revenir à l'histoire contemporaine. Je dois avouer aussi qu'en choisissant l'histoire grecque j'avais l'illusion que j'échapperais à la tyrannie de l'immédiat. Travailler sur la Grèce ancienne, et sur Platon en particulier, me mettait à distance.

Dans votre enfance, la Grèce, avec ses mythes et ses grandes épopées, ne vous attirait pas particulièrement ?

Non, la Grèce s'est mise à compter pour moi avec Platon, lorsque j'ai décidé de faire mon diplôme d'études supérieures, l'équivalent de la maîtrise actuelle. Avoir ce diplôme avait comme conséquence d'obtenir un poste : à l'époque, il y avait des postes d'assistant autant qu'on en voulait, mais à condition de choisir son sujet. Le jour où j'ai choisi mon sujet, ma carrière d'historien a été en quelque sorte coupée en deux, puisque, dans mon travail, il y a une partie qui est tout à fait positiviste – c'est tout ce qui était lié à la guerre d'Algérie, c'est l'héritage du dreyfusisme, Maurice Audin s'est-il évadé ou non ? Dreyfus a-t-il écrit le bordereau ? L'enquête a même un côté judiciaire. Le moment-clef de l'affaire Dreyfus, c'est lorsque le président Ballot-Beaupré, fait son rapport à la Cour de cassation et dit : « Messieurs, après de longues réflexions, je suis parvenu à la conclusion que le bordereau a été écrit non par Dreyfus, mais par Esterhazy. » À ce moment-là, tout bascule. Et ce moment, pour moi, est venu lorsque Jérôme Lindon, qui fut mon éditeur pendant plus de quarante ans aux Éditions de Minuit, m'a téléphoné et appris, en parlant du lieutenant Charbonnier et de Maurice Audin : « Je sais qui est l'ombre... » Il m'a dit « c'est celui qui commence par Ch.... », c'est-à-dire Charbonnier. J'étais parvenu plus ou moins consciemment à la même conclusion, mais cela a été une illumination.

Champs d'étude

Dans quel état d'esprit avez-vous abordé vos premiers travaux d'historien ?

Il se trouve que l'histoire à laquelle je m'intéresse d'emblée, en tant qu'individu, est profondément liée à la démocratie. Ce n'est pas tout à fait un hasard si le premier livre d'histoire grecque que j'ai écrit, avec Pierre Lévêque, a été consacré au fondateur de la démocratie athénienne, Clisthène.

Pierre Lévêque, qui était votre aîné, était communiste ?

Oui, mais il ne l'a pas toujours été. C'est un homme que j'ai beaucoup aimé, qui est mort il y a trois ou quatre ans. Il était toujours bien sapé, et faisait ses cours en jaquette et en pantalon rayé. C'était un monsieur très élégant. Il donnait à Sévigné des cours de préparation à l'agrégation, c'est là que je l'ai connu. Je me souviens d'avoir fait devant lui un long exposé sur le philologue allemand Werner Jaeger[1], dont aucun de mes camarades n'avait jamais lu une ligne. C'était le maître de Marrou pour l'histoire de l'éducation dans l'Antiquité, et j'avais donc lu *Paideia, la formation de l'homme grec*, traité un peu pompeux et solennel de l'histoire de la culture grecque. Lévêque était un professeur charmant, qui nous faisait vraiment travailler. Ancien de l'École française d'Athènes, il avait deux domaines favoris : l'un était son cher Pyrrhus, sur lequel il avait fait

1. Werner Jaeger (1888-1961), spécialiste de langues et de philosophies anciennes, particulièrement d'Aristote, fut le successeur de Wilamowitz à l'Université de Berlin.

sa thèse ; l'autre, était la sculpture grecque, sur laquelle il m'a beaucoup appris.

De quelle époque datent vos premiers travaux avec lui ?

J'étais dans l'entourage de Lévêque lorsque j'ai commencé à travailler mes deux premiers articles. J'ai écrit l'un d'eux en 1957, à la demande de Marrou, pour une revue qui a périclité avant que je l'aie remis et qui s'appelait *Les Quatre Fleuves*. L'article s'intitulait « Temps des dieux et temps des hommes ». À partir de mon diplôme d'études supérieures, Marrou m'avait dit : « Vous allez démontrer que les Grecs ont connu autre chose que le temps cyclique. » Puisqu'il m'avait dit de le démontrer, je l'ai démontré ! Pour les gens qui l'ont lu, c'était un article révolutionnaire, puisqu'il annulait tout ce que l'on disait sur les Grecs qui n'auraient connu que le temps cyclique, alors que ce seraient les juifs et les chrétiens qui auraient inventé le temps rectiligne. Or Platon nous dit expressément (*Phédon*, 72b) : « Le temps linéaire, c'est la mort du temps. »

Le deuxième article, c'est un sujet que j'ai proposé à Pierre Lévêque. Il s'intitulait « Épaminondas pythagoricien ou le problème tactique de la droite et de la gauche ». J'avais été frappé par le fait qu'Épaminondas avait été le premier tacticien à attaquer par l'aile gauche, alors qu'il y avait une priorité absolue de la droite, qui a duré jusqu'aux Romains. J'ai donc proposé à Lévêque d'écrire un article en commun. Il a trouvé des tas de choses que je ne connaissais pas, et ensuite j'ai réécrit l'article. Puis il m'a proposé de faire de nouveau une étude en commun, sur les chiffres dans la constitution de Clisthène (5, 3, 10). Je me suis jeté là-dedans. Lévêque avait écrit le brouillon d'Épaminondas, et moi j'ai écrit le brouillon de Clisthène. Le livre, paru en 1964, s'intitulait : *Clisthène l'Athénien : essai sur la représentation de l'espace et du temps dans la pensée politique grecque, de la fin du VIe siècle à la mort de Platon*. Qu'on puisse ainsi parler de l'espace et du temps dans la pensée grecque, ça a littéralement stupéfié nos collègues. Heureusement, Victor Goldschmidt et quelques autres ont accueilli cette parution avec enthousiasme. À propos de *Clisthène,* Goldschmidt m'a écrit : « J'ai souvent pensé à Lévi-Strauss en vous lisant », ce qui m'a ravi, bien entendu. C'est à ce moment-là que j'ai commencé de lire vraiment Claude Lévi-Strauss, pendant tout un été, et que je suis passé, en quelque sorte, au structuralisme.

On a l'impression que s'il n'y avait pas eu l'anthropologie, vous auriez pu facilement basculer du côté de la philologie.

En effet, j'ai passé une licence de lettres classiques, et, pour m'encourager, Marrou m'avait dit : « La philologie, ça rend les gens intelligents. »

Philologie, histoire grecque, anthropologie structurale, histoire contemporaine n'étaient pas vos seuls centres d'intérêt. Vous vous intéressiez aussi à ce que l'on a appelé la « querelle moderniste[1] ».

C'est vrai que la Bible intègre la dimension temporelle dans son récit ; ce qui n'est pas le cas de beaucoup d'autres livres mythologiques. Il n'empêche qu'il y a une part de mythe dans la Bible, et cela m'a amené au modernisme.

Il se trouve que, de la seconde à la khâgne, je n'ai eu que des professeurs d'histoire protestants, et les protes-

---

1 Querelle au sein de l'Église catholique, au début du XXe siècle, qui opposa l'institution, attachée au dogme immuable, aux tenants d'un christianisme plus éclairé, tel Loisy, s'ouvrant aux acquis de la culture contemporaine (science, histoire, linguistique, philosophie). Cf. François LAPLANCHE, *La Crise de l'origine*, Paris, 2005, livre que Pierre Vidal-Naquet appréciait beaucoup et qu'il a longuement cité au cours de ces entretiens.

tants admettaient la critique biblique. Bossuet représente la dernière tentative en quelque sorte officielle de structurer l'histoire autour de l'histoire d'Israël en expliquant simplement comment la naissance de Jésus avait fait une coupure dans l'histoire de l'humanité. Il a fait un discours sur l'histoire universelle. Tout le travail du XVIIIe siècle a consisté à démolir cette idée : cela commence à la fin du XVIIe – quand on pense que le *Traité théologico-politique* de Spinoza a été publié la même année (1670) que les *Pensées* de Pascal, on est légèrement ahuri, parce qu'on ne peut pas imaginer deux livres plus opposés. À la même époque, un certain Sabbataï Tsevi [1] soulève les masses populaires juives en Hollande et ailleurs, jusqu'à Smyrne et au-delà, avec l'idée du retour à Jérusalem. C'était le temps, aussi, où l'on spéculait à la bourse de Londres pour savoir si l'on avait retrouvé ou non une des dix tribus perdues d'Israël.

Tout cela n'a rien de neuf, mais c'est pour moi au cœur de l'idée du travail historique comme expérience vivante. L'illusion positiviste consiste à dire : vous donnez la même quantité de documents à deux bonshommes, et chacun

1. Cf. Gersohm SCHOLEM, *Sabbataï Tsevi. Le messie mystique, 1626-1676*, trad. M.-J. Jolivet et A. Nouss, La Grasse, Verdier, 1983.

doit arriver normalement à écrire la même histoire. Ça, c'est tout à fait impossible. Cela ne veut pas dire qu'il ne faille pas faire de critique historique. En aucune façon, on ne peut renoncer à l'expérience critique.

Il y a donc cet aspect de perpétuelle révision, mais à mon avis on n'écrira jamais le même livre. Je cite toujours cette phrase de Marrou qui me paraît capitale : « Le travail historique n'est pas l'évocation d'un passé mort, mais une expérience vivante dans laquelle l'historien engage la vocation de sa propre destinée. »

Peut-on le dire aussi de la Révolution française qui est un de vos centres d'intérêt depuis longtemps ?

Dans ma jeunesse, c'est par les livres d'Albert Mathiez [1] et de Georges Lefebvre [2] que j'entrais dans la Révolution française, avec cette *poïkilia*, cette variété extraordinaire d'interprétations qui ont fait l'objet du cours de Lefebvre sur la notion d'historiographie. Avec les travaux de Furet, notamment, c'est franchement l'aspect politique qui a

1. (1874-1932).
2. (1874-1959).

dominé dans l'attaque contre la Révolution française au cours de ces vingt ou vingt-cinq dernières années.

Il y a un mot qui m'est cher, le mot *poïkilos*, qui se traduit en latin par *varius* – bigarré. C'est parce qu'il m'est cher que j'ai proposé d'intituler le recueil de mélanges pour Vernant *Poïkilia*. Cela signifie « varié », mais en même temps les *poïkilies* ce sont les hors-d'œuvre, en grec moderne. Il y a toute cette variété de sens dans le travail historique, en dehors de sa base documentaire qui est absolument évidente et éclatante, et qui fait que lorsqu'on lit les papyrus grecs, on a au début l'impression de toucher du doigt la réalité, et, au bout de très peu de temps, on s'aperçoit qu'ils sont aussi difficiles à interpréter qu'une ode de Pindare, même si on a l'impression de toucher la chose même.

Alors l'idée qu'il faille faire le pari de l'interprétation est absolument inéluctable et nécessaire. Marc Bloch en était convaincu, d'ailleurs. Les *Annales* ont été construites non pas pour unifier, mais pour diviser, bien souvent. C'est l'exemple même d'un groupe d'historiens qui s'unissent pour se séparer de Seignobos et compagnie ; en quoi ils ont été souvent injustes, parce que Seignobos était un type pas mal du tout – bon, il ne s'intéressait pas à l'histoire des aliments, d'accord –, mais au moins il avait été dreyfusard.

Revenons à la Révolution française. Étiez-vous plutôt sur les positions de François Furet et Mona Ozouf ou plutôt sur celles d'Albert Soboul[1] ?

J'ai été un peu au croisement. Pour la Révolution française, je pensais un peu comme Jaurès, auquel même Furet a rendu hommage. Ainsi à propos du coup de génie qui conduit Jaurès à prononcer le discours qu'aurait dû faire Louis XVI devant ses juges, Furet a un très joli mot : « Jaurès, improbable historien de la tradition monarchique française ». Je sais bien que Jaurès a écrit que s'il avait été prié de siéger à la Convention, il se serait assis à côté de Robespierre. Personnellement, j'ai pour Robespierre une sainte horreur, je l'avoue. Tant qu'à prendre, je préfère Saint-Just. Mais l'idée de faire couper des têtes me fait positivement horreur. Je serais plutôt du côté des Enragés,

---

1. Il s'agit de la controverse historiographique qui opposa les écoles de François Furet-Mona Ozouf à Albert Soboul à propos de l'interprétation libérale (histoire politique) ou marxiste (histoire sociale) de la Révolution française.

qui ont eu des têtes coupées, mais qui n'en ont pas trop coupé eux-mêmes. Et c'est intéressant que Jaurès ait justement trouvé les sources du mouvement ouvrier dans le groupe des Lyonnais : il y a trouvé des choses lumineuses à dire. J'y reviens : aucun historien contemporain ne m'a influencé autant que Jaurès.

Quand vous évoquez Jaurès, on pense naturellement à Madeleine Rebérioux. Étiez-vous toujours en accord avec ses travaux ?

Là où j'étais en désaccord total avec Madeleine Rebérioux[1], c'était sur la question de la révolution d'Octobre. Elle croyait profondément que la révolution d'Octobre avait été un fait positif. Or, moi, je pense que ça a été un fait immensément négatif, et que l'énorme confusion qui nous a valu la révolution russe, c'est justement l'idée que le prolétariat est une classe montante,

1. Madeleine Rebérioux (1920-2005), spécialiste de l'histoire de la IIIe République, a été professeur à l'Université de Vincennes, qu'elle a contribué à créer, puis à l'EHESS. Militante des luttes anticolonialistes, elle est la première femme à présider la Ligue des droits de l'homme (1991-1995). Elle a publié notamment *Jaurès : contre la guerre et la politique coloniale* (1959) ; *La République radicale, 1899-1914* (2000).

comme la bourgeoisie avait été une classe montante au XVIIIe siècle. Comme disait Édouard Perroy, « la bourgeoisie, elle ne fait que monter. Allez, faites-la monter ! ». L'idée de dictature du prolétariat est une idée absurde, parce qu'elle calque la notion de classe prolétarienne sur la notion de classe montante de la bourgeoisie. Le prolétariat n'a jamais été et ne pourra jamais être une classe montante. Il peut être une classe nombreuse, il peut être une classe qui décroche tel ou tel droit. Mais l'idée que le prolétariat en soi va diriger la société... C'est là où je ne pouvais pas être d'accord avec Madeleine. C'est quelqu'un que j'aimais énormément – je lui disais « vous êtes ma conscience communiste », et elle me répondait « vous êtes ma conscience anticommuniste »... Je n'ai jamais cru que la coupure d'octobre 1917 soit une vraie coupure, comme le prétend Robert Bonnaud, par exemple. Pour moi, la coupure, c'est 1914, parce qu'à ce moment-là débute ce qu'Élie Halévy a appelé « l'ère des tyrannies ».

Vous vous êtes aussi intéressé au « mode de production asiatique ». Pour quelles raisons ?

Le hasard a fait qu'Edgar Morin me signale un jour l'existence d'un livre de Karl Wittfogel [1], qui s'appelle *Oriental Despotism*. Je le lis, le trouve absolument passionnant, et en tire un tas de cours pour la faculté des lettres de Caen où j'étais assistant en 1959-1960. Et je suggère à Lindon de le traduire. Il sortira en 1964, dans une traduction de Micheline Pouteau, aux Éditions de Minuit.

En même temps qu'il m'intéresse, je trouve aussi que c'est un livre assez bassement anti-communiste – pour tout dire, c'est un livre maccarthyste. Je me renseigne un peu, et j'apprends que pour démontrer que Lattimore, un illustre spécialiste de l'Asie, était un agent soviétique, Wittfogel avait signalé qu'il employait le mot « féodal » au lieu du mot « asiatique » pour caractériser la Russie et les différents pays de ce genre. J'ai travaillé pendant des mois là-dessus, et j'ai fait une préface à l'édition française, mais en suggérant que c'était un stalinien retourné. C'était d'ailleurs la pure vérité : il a notamment dénoncé

1. Karl Wittfogel (1896-1988), sinologue, marxiste, militant communiste, membre du KPD. Il a mis en œuvre le concept de « mode de production asiatique » à partir d'une étude sur l'économie et la société de la Chine agraire. Après avoir rompu avec le communisme et s'être installé aux États-Unis (Université de Seattle), il développe une nouvelle vision du monde qui impliquait qu'un Bien occidental s'opposait à un Mal oriental.

Moses I. Finley[1], qui enseignait l'histoire ancienne à l'université Rutgers, comme agent communiste.

Qui était Wittfogel ?

Il vivait à New York, c'était un ancien théoricien marxiste, venu dans les bagages de l'école de Francfort. Il avait épousé une femme qui s'appelait Olga Lang, qui était une grande spécialiste de la Chine. Sans le faire directement, il l'a dénoncée elle aussi… C'était un personnage absolument abominable.

Ce qui est tout à fait extraordinaire, c'est que Wittfogel faisait, non sans quelques bonnes raisons, de la discussion qui avait eu lieu en Union soviétique sur les problèmes des modes de production asiatique, un tournant – puisque, ensuite, le mode de production asiatique a été banni. Il est sûr, et c'est un peu ce que je disais dans mon texte, qu'il a été banni pour des raisons « russes ». C'est parce qu'il y

---

1 Moses I. Finley (1912–1986), historien américain spécialiste de l'Antiquité grecque, il obtint la nationalité britannique en 1962. Il enseigna à l'Université de Cambridge. Auteur notamment de *Les Anciens Grecs* (trad. fr. 1979) ; *Démocratie antique et démocratie moderne* (trad. fr. 1976) ; *L'Invention de la politique : démocratie et politique en Grèce et dans la Rome républicaine* (trad. fr. 1985) ; *Le Monde d'Ulysse* (trad. fr. 1978).

avait en Russie quelques traits, que l'on peut discuter, que Lénine appelait l'*Aziachtchina*, c'est-à-dire un mode d'arriération. Mais il l'attribuait à la domination mongole, ce qui était quand même un peu simplet.

Marx haïssait la Russie, il considérait que c'était le conservatoire de l'esclavage de l'Europe, et il pensait certainement qu'il y avait là des traits asiatiques. Le problème, c'est que dans la théorie de Wittfogel, le mode de production asiatique est lié à la maîtrise des inondations, de la Chine, de l'Égypte ou de Sumer, ce qu'il appelle des civilisations « hydrauliques » – le pharaon, par exemple, est le régulateur de la vie agricole, et les premiers empereurs chinois font construire des digues et des canaux.

C'était une question difficile, parce que, en même temps que j'écrivais cela, la notion de mode de production asiatique, qui avait totalement disparu depuis les années trente de tous les travaux marxistes, était en train de faire une réapparition soudaine. Alors pourquoi ? À partir de la question coloniale, comment expliquer, par exemple, Madagascar ? Pas d'irrigation, mais un roi, étudié par Georges Condominas, qui s'affirmait comme l'éminent propriétaire du sol de tout Madagascar. Pour l'Égypte, les travaux de Claire Préaux abordaient, eux aussi, les retours en arrière, les basculements du pays. Bref, une discussion se mettait à affleurer, dont Wittfogel ignorait tout.

À la lecture de ma préface, il a décidé que j'étais un agent soviétique, et en a donné comme preuve le fait que, dans un article publié dans *Le Monde*, Rodinson[1] écrivait : « J'appelle ici marxistes ceux qui se retrouvent autour de l'idée soviétique. » Jamais je n'avais pensé ça, naturellement ; j'ai toujours été anti-léniniste, pour parler franchement. Si j'avais eu à choisir entre Lénine et Trotski, j'aurais choisi Trotski, je vous l'ai déjà dit.

Quand avez-vous connu Moses Finley, obligé de quitter les États-Unis après la dénonciation de Wittfogel ?

Quand je travaillais sur Homère. Le premier gros article que j'ai publié dans les *Annales*, c'était « Homère et le monde mycénien ». Naturellement, j'y menais une réflexion sur la querelle historiographique de savoir si Homère avait ou non connu le monde mycénien. En gros,

1. Maxime Rodinson (1915-2004), un des grands orientalistes du XXe siècle, était titulaire de la chaire d'éthiopien et de sub-arabique à l'EPHE. Parmi ses nombreux ouvrages : *Mahomet*, rééd. 1968 ; *La Fascination de l'islam*, 1980 ; *Souvenirs d'un marginal*, préface de Pierre Vidal-Naquet, 2005.

les linguistes disaient que c'était la même langue, mais pas la même société. Moi, je m'étais appuyé sur les travaux de Finley, et je lui ai envoyé mon article. Il m'a envoyé une réponse tout à fait enthousiaste. J'ai lu son *Monde d'Ulysse*[1] et ses articles sur les tablettes, où il disait : « Les tablettes mycéniennes ne sont absolument pas un bon guide pour la société homérique, elles ne sont pas un guide du tout. »

Puis Éric de Dampierre m'a demandé d'écrire un article sur la querelle autour de Finley. J'ai donc écrit à Finley pour lui demander sa bibliographie, et j'ai décidé de tout lire – et j'ai tout lu. L'article a été publié dans les *Archives européennes de sociologie*, en 1965. Je n'avais pas encore vu physiquement Finley. Je l'ai connu en écrivant sur l'ensemble de son œuvre. Par la suite nous avons correspondu. Il m'a invité à Cambridge, et, à mon tour, je l'ai fait venir à Paris. Je me suis aperçu que nous avions en commun une grande admiration pour Louis Gernet.

Quelle était la querelle autour de Finley ?

1. Traduit de l'anglais par Claude Vernant-Blanc et Monique Alexandre, Paris, Maspero, 1978.

C'était en réalité la querelle autour de l'interprétation des tablettes en linéaire B : y a-t-il ou non continuité dans l'histoire grecque ? Est-ce qu'on pouvait parler d'une histoire grecque qui remontait plusieurs siècles avant la cité ? J'ai accompagné Van Effenterre en Crète, qui en était persuadé. En général, les hellénistes non historiens avaient tendance, parce que c'était la même langue, à dire : « c'est la même société. » Et Van Effenterre disait : « Ici c'est l'*agora*, et là c'est la *boulé.* » J'étais de ceux qui pensaient au contraire que l'instauration de la *polis* était une révolution dans le monde grec, et que, chez Homère, on la trouvait en quelque sorte dans l'*Odyssée,* mais pas dans l'*Iliade.* Il suffit de lire le magnifique article de Claude Mossé [1] sur la naissance de la cité [2] pour s'en convaincre.

Dans son étude, Finley cherchait à savoir pour quel monde valait le monde d'Homère. Il avait une théorie que, finalement, je ne partage pas. Il pensait qu'Homère décrivait non pas son monde à lui, ni le monde mycénien, mais

---

1. Claude Mossé, spécialiste de l'Antiquité grecque. Elle a publié de nombreux ouvrages : *Le Procès de Socrate* (1988) ; *La Fin de la démocratie athénienne. Aspects sociaux et politiques du déclin de la cité grecque au IVe siècle avant J.-C.* (1962) ; *Alexandre, la destinée d'un mythe* (2001).

2. « Ithaque ou la naissance de la cité », *Archeologia e storia antica*, II, 1980.

le monde des âges obscurs. Traduit en français en 1969, *Le Monde d'Ulysse* a fait un tabac.

Vous avez dit très souvent qu'à côté de Finley, et de Vernant dont nous parlerons plus loin, votre autre maître avait été Arnaldo Momigliano[1]*. Quand l'avez-vous connu ?*

C'est lui qui m'a découvert ! Il a appris que j'étais à Lyon, et m'a envoyé tout un paquet de tirés à part. J'étais absolument sidéré, puis naturellement j'ai commencé à lire son œuvre immense. Je n'ai pas osé lui répondre, il avait un beaucoup trop grand savoir pour moi. Puis il m'a écrit pour me demander si j'avais bien reçu les tirés à part...

Quand je l'ai connu, ça a été un choc. J'ai pris l'habitude de le voir avec Claude Mossé, chaque fois qu'il passait à Paris pour aller à Pise, venant de Londres. Il arrivait par la gare du Nord, Claude Mossé faisait le taxi pour la gare de Lyon, et je l'accompagnais. Pendant ce temps-là, il parlait comme un extraordinaire robinet, en « piémonto-fran-

1. Arnaldo Momigliano (1908-1987), spécialiste de renommée internationale du judaïsme antique et de l'historiographie. De son œuvre considérable, on peut lire en français *Sagesses barbares* (1979) ; *Problèmes d'historiographie ancienne et moderne* (1983) ; *Contributions à l'histoire du judaïsme* (2002).

çais », comme il disait – il disait qu'il avait deux langues principales : le piémonto-anglais et le piémonto-italien, plus le piémonto-allemand. Juif piémontais, chassé de sa chaire de Turin et d'Italie par les lois raciales de Mussolini en 1938, il s'était réfugié en Angleterre. Il enseigna à Londres, à Chicago, à Pise et à Jérusalem, mais ne voulait pas faire de conférences en français, alors qu'il le parlait tout à fait bien.

Il est vraiment, avec Finley et Vernant, mon troisième maître. C'est grâce à lui que j'ai découvert la dimension historiographique. Je pense que je l'aurais découverte en partie tout seul, dans la mesure où déjà dans mes deux premiers articles, « Temps des dieux et temps des hommes », et « Homère ou le monde mycénien », il y avait cette dimension historiographique : je disais, en effet, que le temps cyclique, ça ne marchait pas pour les historiens grecs.

Il reste que c'est Momigliano qui m'a ouvert en grande partie à cette dimension. Qui d'autre que lui pouvait écrire un article sur Polybe et les Turcs ? C'est quand même quelque chose d'absolument unique ! Voilà ce qui m'a passionné, je n'ai plus jamais fait d'écriture de l'histoire sans m'intéresser à la dimension historiographique.

Finalement, cette dimension historiographique a pris un peu le dessus.

À ce moment, vous commencez à vous plonger dans l'histoire juive de toutes les périodes : du judaïsme ancien vous passez au judaïsme moderne et contemporain.

Momigliano a été extrêmement important, parce qu'il m'a envoyé ses petits livres sur les Maccabées et sur l'histoire juive en général. Il est le seul savant que j'aie connu qui soit capable de dominer et l'histoire du monde grec, du monde juif et du monde romain, et en même temps la tradition historiographique qui va de l'Antiquité à nos jours. Dans *Sagesses barbares. Les limites de l'hellénisation*, que j'ai fait traduire et qui est paru chez Maspero en 1979, il aborde de façon magistrale la question de la résistance culturelle des peuples soumis aux Grecs, que ce soient les Gaulois, les Juifs ou les Iraniens. C'est fou ce que Momigliano pouvait ouvrir comme pistes, c'est quelque chose d'absolument fabuleux. Il n'était jamais pris au dépourvu. C'est un peu dommage que je me sois brouillé avec lui à cause de son livre sur Philippe de Macédoine. J'avais écrit que je trouvais regrettable qu'il ne cite Platon que quatre fois dans un livre portant sur les débats intellectuels au IVe siècle. Ma remarque l'a mis dans une fureur épouvantable, et il ne m'a pardonné qu'à la veille de sa mort.

La méthode : « J'ai pris de nombreux détours »

Votre œuvre est inclassable, pas seulement parce que vous touchez à des domaines et des périodes de l'histoire traditionnellement compartimentés, mais aussi parce que, vous attaquant à une question, vous opérez souvent des rapprochements insolites.

Je crois en effet à l'idée de faire communiquer les genres. C'est ce que nous avons fait, Vernant et moi, pour la tragédie. En remarquant que ce qui marche avec Euripide ne marche pas avec Sophocle et Eschyle. On peut étudier la cité chez Sophocle et la cité chez Eschyle, mais on ne peut pas y étudier l'histoire d'Athènes ; et ceux qui ont tenté de le faire, comme Thomson ou quelques autres, se sont royalement cassé la figure, même Bernard Knox.

N'y a-t-il pas, alors, le risque de trop replier les textes sur eux-mêmes ? Vous dites, par exemple, que l'on ne peut pas travailler sur les tablettes mycéniennes, qui sont des documents comptables, comme sur Homère, que c'est autre chose. Diriez vous la même chose de Moïse et des textes du Pentateuque ?

Non, parce que les textes homériques ont un avantage ; c'est qu'ils ont été écrits au moins par deux poètes qui sont distincts l'un de l'autre et séparés l'un de l'autre par quelques dizaines d'années. Ce n'est pas le cas du Pentateuque, où on est obligé de trouver diverses sources. Je ne suis pas du tout bibliste et ne prétends pas m'y repérer dans la source yahviste et dans la source élohiste, mais je pense que quelqu'un a dû repenser tout cela, à un moment quelconque.

Que pensez-vous de la tentative de Jean Bollack[1] *avec sa monumentale édition d'Empédocle ?*

1. Jean Bollack, helléniste et philologue, a fondé à l'Université de Lille III un centre de recherche réputé, et dirige à la Maison des sciences de l'homme un groupe de recherche sur l'histoire sociale de la philologie. Il est l'auteur, entre autres, d'une monumentale édition en trois tomes d'Empédocle (1965).

J'ai énormément d'admiration pour l'*Empédocle* de Bollack[1], mais c'est un travail de philologue. Je n'ai vraiment fait un travail de philologue qu'une seule fois, lorsque j'ai réédité un texte de Pausanias, qui fait quatre lignes sur le monument des dix tribus d'Athènes à Delphes. J'en ai donné une édition savante, qui est maintenant citée dans les éditions de Pausanias, grâce à l'aide de mon philologue favori Manolis Papathomopoulos ; depuis, j'ai connu Michel Casevitz, qui est mon autre philologue favori que je consulte toujours quand j'ai un problème de grec. Bon, se servir de la philologie, oui, mais faire ce qu'a fait Bollack, c'est-à-dire consacrer la moitié d'une vie à éditer un texte, non. Bollack a été l'une des grandes rencontres de ma vie ; le seul point où je sois en désaccord avec lui, c'est quand il est persuadé qu'il peut tomber sur le texte authentique et le seul possible. D'où mon désaccord avec un de ses disciples, qui m'a dit n'avoir jamais rencontré d'« ambiguïté » dans un texte tragique, ce qui me sidère encore.

Mais vous établissez bien une hiérarchie, dans tous ces textes grecs, entre un texte de Platon et celui d'un énième scholarque ?

---

1. Paris, Éditions de Minuit, 1965, rééd. Paris, Gallimard, 1995.

Quand on a un texte immense comme celui de Platon, on entre dedans et on se fait platonicien. À la fin, bien sûr, on essaie d'en sortir. J'ai très vite compris les limites de l'érudition pure. Je pense à un érudit portugais qui a fait une thèse sur Platon. Il a tout lu sur Socrate et sur Platon, absolument tout, et il n'en tire finalement aucune conclusion.

Vous ne mettez sans doute pas sur le même plan un traité de botanique et un texte d'Euripide ?

Bollack et Wismann sacralisent les manuscrits. Ils ne sacralisent pas les textes, ils sacralisent les manuscrits. C'est-à-dire qu'ils considèrent qu'un Byzantin du XIIIe siècle est plus compétent, pour être cru, que Wilamowitz. C'est quand même un peu charrier !

Vous dites, à propos d'un passage des Lois *de Platon : « Il suffit de retourner ce texte pour obtenir les règles de vie et de comportement social de l'hoplite. » Que signifie « retourner un texte » ?*

C'est dans le sens où Marx a dit qu'il suffisait de retourner la dialectique hégélienne pour avoir l'histoire de la lutte des classes.

Platon et Aristote, ce n'est pas du tout la même chose. Platon nous décrit la meilleure cité possible pouvant exister, en V-739 c-e des *Lois*, en indiquant la façon dont les *Lois* fonctionnent par rapport à la *République*. Aristote nous décrit le fonctionnement des institutions. Il faut donc effectivement retourner le texte de Platon, pour trouver Aristote et compagnie.

Que pensez-vous du « miracle grec » cher à Renan, qui connaîtra une belle postérité ?

J'en ferai un éloge très tempéré. Le paradoxe de Renan, si j'ose dire, c'est que le domaine de ses études et le domaine de son désir ne sont pas les mêmes, c'est-à-dire que ses études c'était le monde sémitique, et son désir c'était la Grèce. Pour moi ce serait plutôt l'inverse. Mais il est vrai que ses textes sont écrits dans une langue superbe. Quand j'ai écrit mon premier texte pour Calmann-Lévy, c'était la préface à l'ouvrage de Michael Marrus, *Les Juifs de France à l'époque de l'Affaire Dreyfus* ; en guise de droits d'auteur, j'ai demandé les œuvres complètes d'Ernest Renan, qui ne sont d'ailleurs même pas complètes car il manque *La Mission de Phénicie.* Il y a aussi la lacune de l'extraordinaire *Histoire de l'étude de la langue grecque dans l'Occident de l'Europe depuis la fin du* v^e^ *siècle jusqu'à celle du* XIVe, un texte passionnant qui attend toujours d'être édité.

Au fond, Renan est un helléniste de désir, mais non de réalisation. Cela dit, mon père savait par cœur la « Prière sur l'Acropole » et je l'ai moi-même apprise quand j'étais enfant :

« *Je suis né, déesse aux yeux bleus, de parents barbares, chez les Cimmériens bons et vertueux qui habitent au bord d'une mer sombre, hérissée de rochers, toujours battue par les orages. On y connaît à peine le soleil ; les fleurs sont les mousses marines, les algues et les coquillages coloriés qu'on trouve au fond des baies solitaires. Les nuages y paraissent sans couleur, et la joie même y est un peu triste ; mais des fontaines d'eau froide y sortent du rocher, et les yeux des jeunes filles y sont comme ces vertes fontaines où, sur des fonds d'herbes ondulées, se mire le ciel.* »

Cela fait partie de la culture que l'on a ingurgitée chez moi. Il y avait ça, il y avait aussi *Salammbô* : « C'était à Mégara, faubourg de Carthage, dans les jardins d'Hamilcar... »

Les héros de Carthage nous conduisent à d'autres figures héroïques que vous avez souvent cherché à décoder, en opérant parfois de saisissantes associations. Quand, par exemple, dans votre souci de démonter une falsification, celle qui a voulu faire de Jean Moulin un agent soviétique, vous faites un grand détour par les héros de la Mésopotamie et de la Grèce.

Oui, dans *Le Trait empoisonné* [1], le meilleur livre, je crois, que j'aie fait en histoire contemporaine. J'y ai montré que l'histoire n'est pas l'héroïsation, ni la sanctification, même si elle prend en compte ces phénomènes. Avant tout, l'histoire est l'histoire des hommes. À ce titre, toute enquête démystificatrice est histoire, c'est-à-dire abolition des mythes opposés et contradictoires.

Ce qui a beaucoup choqué la plupart de mes lecteurs, c'est que, pour parler de Jean Moulin, j'introduise l'histoire ancienne. J'ai reçu des lettres très violentes, là-dessus,

1. *Le Trait empoisonné. Réflexions sur l'affaire Jean Moulin*, Paris, La Découverte, 1993.

de Michel Wieviorka, d'Édouard Will, et j'ai failli me brouiller avec Jérôme Lindon qui voulait supprimer, purement et simplement, cette partie. C'est pourquoi j'ai décidé de publier ce livre à La Découverte, avec mon ami François Gèze.

En quoi était-ce utile de faire ce long détour par les héros de l'Antiquité et les saints chrétiens ?

Je trouve que ça donnait une épaisseur temporelle à ma démonstration : on voyait comment s'opère la construction du héros et comment on peut l'inverser.

Il s'agissait bien d'opérer le décorticage d'un mythe pour montrer comment, en retour, en fabriquer un autre –, et ça c'est quand même exactement votre sujet !

Exactement. Le cas de Jean Moulin était difficile, car, dans son genre, c'était un authentique héros, et qui est mort héroïquement. Ce que je voulais, c'était démonter le mythe de l'agent soviétique qu'essayait de fabriquer Thierry Wolton. C'est vrai qu'il y avait une sorte de contradiction apparente dans mon livre, puisque je me demandais d'abord comment fabrique-t-on les héros, pour ensuite dire comment fait-on d'un héros authentique un imposteur et un agent secret.

Cet aspect double se trouvait déjà dans La Nuit finira (1973) *de Frenay ?*

Absolument ; dans ses *Mémoires*, Frenay a fait deux attaques contre Moulin, dans lesquelles il disait que c'était un agent communiste. Et on comprend très bien le mécanisme. Je l'ai expliqué à Daniel Cordier qui n'en a pas tenu compte dans son bouquin. Frenay a mélangé deux choses, le conflit qu'il a eu avec Moulin en tant que représentant de l'État gaulliste en gestation, où ils se sont effectivement engueulés affreusement, et, d'autre part, la diffamation dont il était l'objet par les communistes et les communisants au moment de la Libération, sur le thème : Frenay le protégé de Pucheu. Et comme un certain nombre de ses diffamateurs faisaient partie de l'entourage de Pierre Cot – ce qui a joué –, il a mélangé les deux. C'est une chose essentielle que j'ai expliquée longuement à Cordier, il m'a dit qu'il était d'accord, mais n'en tient aucun compte dans ses travaux.

Il y a des choses drôles, dans *Le Trait empoisonné*, tout un commentaire d'un texte de Rabelais, par exemple, au début du dernier chapitre : « Et tout par ouï-dire ». C'est un livre où j'ai eu aussi l'impression de me réunifier, je l'ai dit (p. 141) : « Séparer le vrai du faux est déjà suffisamment difficile. Plus difficile est encore ce qui est pourtant la tâche fondamentale de l'historien : savoir hiérarchiser, discerner ce qui est important de ce qui ne l'est pas. Est-il important de savoir si, oui ou non, Jean Moulin a été un agent du NKVD ? J'entends souvent dire le contraire, de même que j'entends souvent dire qu'il importe peu de savoir si les Juifs déportés par les nazis sont morts du typhus ou dans des chambres à gaz. Dans les deux cas, je crois que c'est là se tromper. Dire que les Juifs sont morts d'une mort "naturelle", c'est rayer de l'histoire non une souffrance quelconque, mais un instrument qui apportait une mort anonyme et masquée. Dire que Moulin était un agent du Kremlin, c'est installer la trahison au cœur de notre histoire récente, non que la religion communiste soit plus méprisable qu'une autre, mais il vaut mieux, pour une nation, que ses héros, si elle en a encore, en dehors de ceux, éphémères, que choisissent chaque semaine deux émissions concurrentes de télévision, ne soient pas des menteurs. Ce sont là des idées peut-être un peu simples, mais sans lesquelles notre respiration quotidienne deviendrait difficile. »

D'où les détours, les croisements, les combinaisons que vous pratiquez toujours dans votre travail d'historien : pour étayer les faits, il faut souvent, vous nous le montrez, prendre des chemins de traverse qui permettent de pointer les mystifications.

Oui, c'est ce que je crois, car le chemin de l'histoire n'est pas une ligne droite et le passage de la légende à l'histoire se fait souvent par des zigzags. Le *détour,* je le dois à Platon qui parle du « chemin le plus long » que doit prendre le philosophe avant de revenir dans la caverne. Alors oui, j'ai pris d'innombrables détours. Ainsi, pour parler de « Bêtes, hommes et dieux chez les Grecs », je suis parti d'un épisode de *L'Île mystérieuse* de Jules Verne, ce qui n'avait rien d'évident. Il n'était pas évident non plus, pour parler des révisionnistes, de partir de ceux qui nient l'existence du cannibalisme et de ceux qui l'« expliquent » par le besoin de protéines.

Quant au *croisement*, mes textes étudient finalement moins les événements pour eux-mêmes que les rencontres : l'État grec hellénistique et le royaume juif dans *Flavius Josèphe ou du bon usage de la trahison*, ou encore Alexandre et le haut Empire romain dans *Flavius Arrien entre deux mondes.*

L'histoire juive et Flavius Josèphe

Nous avons fait, avec vous, le trajet de l'histoire ancienne à l'histoire contemporaine. Comment êtes-vous passé des mondes grecs aux mondes juifs ?

Dans mes études sur les textes grecs, il y a deux noyaux principaux : un ensemble homérique/tragique et un autre judéo-grec qui n'est au fond qu'un vaste commentaire de ce mot extraordinaire d'Elias Bickerman[1] que je cite toujours : « Les Juifs sont devenus le peuple du Livre quand ce livre a été traduit en grec. »

Mon premier contact avec les études juives a commencé très exactement quand j'étais à Lyon, en 1964-1965,

1. Professeur de grec à l'Université de Columbia.

lorsque j'ai eu à faire un cours sur la civilisation hellénistique. J'ai choisi le judaïsme à l'époque hellénistique, mettant ainsi à profit un cours de Roger Rémondon, dont j'avais été l'assistant à Lille. Il était le grand maître de la papyrologie française, et avait fait toute une série de cours dans lesquels il disait que la question cruciale pour les Juifs, à l'époque hellénistique, c'était la question du royaume, et qu'au fond c'est la question qui sera résolue à sa façon par le Christ lorsqu'il dit: « Mon royaume n'est pas de ce monde ». En revanche, toute la révolte des Maccabées (qui commence en 167 avant J.-C., contre Antiochos IV) parvient à une contradiction absolue, puisque c'était une révolte religieuse qui aboutissait à la constitution d'une royauté de type hellénistique – c'est-à-dire le contraire de ce qu'ils voulaient. J'avais lu aussi Elias Bickerman, et je savais ce qu'était un roi hellénistique. Le hasard a fait que, à ce moment-là, vers 1974-1975, quelqu'un a apporté à Jérôme Lindon une traduction de *La Guerre des Juifs*. Je m'étais servi de Flavius Josèphe pour mon enseignement à Lyon, mais je n'avais jamais travaillé dessus. C'était une traduction de Pierre Savinel, que Poliakov[1] soupçonnait

1. Léon Poliakov (1910-1997) a consacré ses travaux à la Shoah et à l'antisémitisme. En 1943, il fonde avec le rabbin Isaac Schneersohn, le Centre

d'être l'anagramme de Levinas – ce qui était totalement faux. Comme la traduction de Pierre Savinel était très bonne, Lindon s'est tourné vers moi, en disant : « C'est un livre qui me paraît intéressant, notamment sur la trahison, l'identité juive, et bien d'autres choses. » Je me suis jeté là-dessus, et j'ai passé plusieurs mois à lire tout ce que je pouvais trouver sur la question. J'ai écrit en six mois cette introduction à *La Guerre des Juifs* sous le titre *Flavius Josèphe ou du bon usage de la trahison*. C'est probablement le texte dans lequel j'ai mis le plus de moi-même.

Pourquoi Flavius est-il si intéressant et important ?

Parce que c'est le seul grand historien des Juifs ; parce que, déjà au Moyen Âge, il a été traduit en français ; parce que Pascal et les autres jansénistes le considéraient avec beaucoup de respect. Il était pratiquement un cinquième Évangile – ce contre quoi un certain nombre de catholiques ont réagi en disant : « C'est un auteur protestant, Flavius Josèphe a toujours été le cinquième évangéliste des protestants. »

---

de documentation juive contemporaine. Il a notamment écrit : *L'Étoile jaune* (1949) ; *Bréviaire de la Haine : le III*[e] *Reich et les Juifs* (rééd. 1951).

Pour moi, le judaïsme de la diaspora s'incarne dans le fait que, à partir de mon étude sur Flavius Josèphe, j'ai choisi en quelque sorte le judaïsme hellénistico-romain, et même le judaïsme contemporain, comme une sorte de deuxième spécialisation. Je n'ai pas appris l'hébreu, malgré quelques tentatives avec mon amie Évelyne Patlagean qui n'ont pas donné grand-chose. En revanche, j'ai énormément lu. Le travail sur Flavius a vraiment été un enthousiasme et une découverte. Celui qui m'a mis sur la voie, c'est Jérôme Lindon. Il avait publié lui-même un petit essai, une traduction d'un livre de l'Ancien Testament, Jonas, dont il m'avait dit : « Au fond, c'est une apologie de la trahison. » C'est à cause de lui que j'ai sous-titré mon travail sur Flavius Josèphe « Du bon usage de la trahison ».

Ce Juif dont vous montrez qu'il est traître, on a l'impression que c'est cela qui vous fascine. Et l'on retrouve votre façon d'arriver de biais, après des détours, là où on ne vous attend pas. Ce que vous montrez très bien dans Le Chasseur noir, *qui entre dans la cité par là où on ne l'attend pas, non pas par les plaines, mais par les marges.*

C'est étonnant effectivement. La loi de mon travail historique, c'est le détour.

Mais en quoi consiste la grande trahison de Josèphe ? Vous dites et vous écrivez que l'historien doit être, finalement, un traître. Qu'entendez-vous par là ?

Flavius Josèphe a trahi matériellement en 74 au moment du siège de Massada. Tous ses copains se sont tranché la gorge, et lui est resté bien tranquille. Quand les Romains sont venus le chercher, bien loin de leur sauter dessus pour se faire tuer, il est allé trouver Vespasien et lui a dit : « Tu seras empereur. » À la même époque, au moment du siège de Rome, dans la tradition du Talmud et de la Mishna, un certain Yohanan Ben Zakaï, qui est représenté sur la grille de la Knesset en train de fuir les remparts de Jérusalem assiégée, va lui aussi trouver Vespasien et s'exclame : *« Tu domine imperator »*. C'est écrit en latin dans le texte hébreu. C'est un parallélisme extraordinaire. Je ne sais pas lequel des deux est vrai, si tous deux sont vrais ou faux. Ça, c'est la trahison matérielle.

Je m'imagine mal sortant de Paris assiégé en 1870-1871, allant trouver Bismarck et lui dire : « tu as raison, *du bist unser Kaiser* »... Le fait important, c'est que Flavius Josèphe, une fois à Rome, s'est mis à écrire l'histoire. Il a écrit successivement *La Guerre des Juifs*, le *Contre Apion* et *Les Antiquités juives*. À cette époque, il y avait des antisémites professionnels, qui n'étaient pas tant à Rome qu'à Alexandrie, parmi lesquels se trouvait un certain Apion et contre lequel il a écrit ce livre. Il y a donc une espèce de paradoxe avec ce type qui passe aux Romains et qui ensuite théorise sa trahison dans *La Guerre des Juifs* en disant qu'il est du destin de Rome d'être la puissance souveraine en Méditerranée et en Europe et qui, d'un autre côté, passe son temps à écrire à la gloire des Juifs. Ce n'est pas un Robert Brasillach, c'est plus compliqué. On retrouve le thème abordé par Lindon dans son *Jonas* [1] : l'apologie de la trahison – et cela a été ma motivation fondamentale.

Quand le livre est paru en italien, à la grande fureur d'Arnaldo Momigliano, on l'a appelé *A le origini de la diaspora*. C'était historiquement faux, en ce sens que la diaspora avait commencé bien avant ; mais il n'empêche que, à partir du moment où le socle de l'État juif avait disparu, il fallait bien inventer quelque chose, et ce

1. Paris, Minuit, 1955.

quelque chose c'est incontestablement la diaspora qui l'a inventé.

Cette diaspora qui a si mauvaise presse dans certains milieux juifs ?

Avec Richard Marienstras[1], j'ai retrouvé l'idée que les diasporas, c'était quelque chose de très bien. Nous avons fondé à ce moment le cercle Gaston Crémieux – c'est un de mes ancêtres plus ou moins direct, un Juif nîmois qui a été fusillé pendant la Commune de Marseille. Il y a toujours à Marseille un boulevard Gaston Crémieux, en hommage à ce personnage, et pendant la guerre il a été débaptisé et s'est appelé boulevard Sidi Brahim... C'est donc à partir du cercle Gaston Crémieux que j'ai commencé de m'interroger là-dessus. Quand j'ai publié en 1981, le premier tome du livre *Les Juifs, la mémoire et le présent*, j'ai dit : « Je suis devenu juif en écrivant l'histoire des Juifs. » Mais je suis aussi un historien juif, qui a mis de côté l'histoire juive jusqu'au moment où il a travaillé sur Flavius Josèphe. De l'historien juif que j'étais au début, il n'a subsisté qu'une

1. *Être un peuple en diaspora*, Paris, Maspero, 1975.

chose, c'est une lecture de la Bible (je l'ai vraiment lue, pas autant que Jacques Brunschwig qui l'a lue depuis la Genèse jusqu'au dernier verset de l'Apocalypse – mais je l'ai vraiment lue).

Diriez-vous que, dans la Bible, c'est une mythologie comme les autres qui se raconte ?

C'est en partie de la mythologie, mais il y a un sens du temps. Je le notais dès mon premier article sur le temps en écrivant que je n'entendais pas enlever à Israël le fait d'avoir conçu le monde comme historique. Mais l'historien juif, c'est avec Flavius Josèphe qu'il commence vraiment. Avec Josèphe et Polybe, nous avons là les meilleures descriptions de l'armée romaine. Des étrangers qui décrivent le fonctionnement de la légion, l'un à l'époque de la République, l'autre à l'époque impériale. Momigliano a eu la gentillesse de m'écrire qu'il y aurait une longue suite aux travaux que j'entreprenais sur le judaïsme hellénistique, mais il n'était pas très content que je m'intéresse aussi aux Palestiniens !

Ce travail sur Josèphe a été une expérience d'immersion comme je n'en ai pas eu d'autre dans ma vie. Je me suis vraiment plongé dans cet auteur, j'ai été littéralement imbibé, je n'ai jamais fait une expérience pareille. Je l'ai envoyé à Marrou en lui disant : « cette expérience existentielle ». En ce sens, Momigliano avait raison : j'ai écrit trois séries d'articles autour du thème « Les Juifs, la mémoire et le présent », et j'aurais de quoi en faire un quatrième. Alors bien sûr, tout n'est pas consacré à l'Antiquité.

Que retenez-vous principalement de Flavius Josèphe ?

Il est le seul à avoir tenté de nous faire comprendre que le judaïsme était à la fois une nation et une religion. Je me souviens d'un collègue israélien qui, me faisant visiter Jérusalem, m'indiquait un monument en disant : « Voici les tombes de nos rois ! » Sur la porte, on peut lire une belle inscription – *République française, tombeau des rois* –, rédigée à l'initiative d'un consul de France qui était monarchiste... Mais ces rois ne sont pas les rois d'Israël, ce sont les rois d'Adiabène, une région de l'ancienne Mésopotamie, qui s'étaient convertis et étaient venus se battre aux côtés de leurs frères juifs... Cela souligne le paradoxe de cette guerre : une insurrection nationale contre l'occupant romain, mais aussi une révolte religieuse.

Flavius Josèphe se déclarait-il traître ?

Il ne se considérait certainement pas comme un traître. Si j'ai intitulé mon livre : *Flavius Josèphe ou du bon usage de la trahison,* c'est parce que le bon usage de la trahison a été pour lui d'écrire l'histoire ; et c'est un homme sans lequel bien des choses nous échapperaient complètement.

Chapitre 3

Histoire contemporaine et grands combats

« Les événements ne sont pas des choses, même s'il existe une opacité irréductible du réel. Un discours historique est un réseau d'explications qui peut céder la place à une "autre explication" dont on jugera qu'elle rend mieux compte du divers. Un marxiste, par exemple, essaiera de raisonner en termes de rentabilité capitaliste, et se demandera si la destruction pure dans les chambres à gaz s'inscrit ou non aisément dans ce système interprétatif. Suivant le cas, il adaptera les chambres à gaz au marxisme ou les supprimera au nom de la même doctrine. L'entreprise révisionniste, dans son essence, ne me paraît pourtant pas relever de cette recherche d'une "autre explication". Il faut plutôt chercher en elle cette négativité absolue dont parlait Adorno et c'est précisément cela que l'historien a tant de mal à comprendre. Il

s'agit d'un effort gigantesque non pas même pour créer un monde de fiction, mais pour rayer de l'histoire un immense événement. »

« Thèses sur le révisionnisme (1985) »,
in *Les Assassins de la mémoire,*
Paris, La Découverte, 1987, p. 132.

Torture – guerre d'Algérie

Comment passe-t-on d'une bibliothèque et des archives aux grands combats que vous avez menés comme ceux de la dénonciation de la torture, du colonialisme et du négationnisme ? En quoi l'historien est-il armé pour intervenir dans les affaires de la cité ?

J'étais agrégatif lorsque commença la guerre d'Algérie. Dès 1951, Claude Bourdet avait posé la question : Y a-t-il une Gestapo algérienne ? À peine la guerre était-elle commencée qu'il avait, avec François Mauriac, répondu : oui. Le gouvernement de Pierre Mendès France, président du Conseil jusqu'au 5 février 1955, n'avait pas nié le fait, et il faut bien reconnaître qu'il fut le seul, tout au long de la guerre, à ne pas mentir de façon éclatante. Marrou, cependant, ne laissa aucune illusion au petit groupe d'agrégatifs qu'il préparait au concours : « Vous avez vu ce qu'a fait le gouvernement Mendès France. Il va installer en France ceux qui torturent en Algérie. Le résultat sera que ce qu'ils faisaient en Algérie, ils le feront en France. » Et il en fut ainsi.

C'est ce qui me distingue de beaucoup de mes contemporains, qui admirent le discours d'André Malraux, pour les funérailles de Jean Moulin au Panthéon. Moi, ce discours me fait proprement horreur. Je le déteste ! Ca me donne des frissons.

Pourquoi ?

C'est surtout parce qu'il parle de la torture, alors que nous sommes au lendemain de la guerre d'Algérie, sans dire un mot qui aurait fait entendre qu'il y a eu d'autres tortures depuis les exactions commises par la Gestapo. Ça m'a fait profondément horreur.

Le débat national que nous étions quelques-uns à vouloir lancer dès 1955 a pris au tournant de l'an 2000, avec toute une série de travaux historiographiques novateurs, une telle puissance, qu'on a du mal à imaginer qu'il y eut une époque pas si éloignée de nous, puisque je l'ai vécue, où tout était nié. C'est ce mensonge qui m'a lancé dans la lutte et j'ai essayé de vivre et de mener cette lutte en historien.

De 1958 à 1962, tout en collaborant à l'agitation contre la guerre d'Algérie, je menai une lutte acharnée dans la quête de documents prouvant que l'État français torturait en Algérie. Mon propos, sans doute un peu simple, consistait à établir non seulement que l'État torturait et massacrait, mais aussi qu'il mentait systématiquement. C'est ce que j'ai pu faire en produisant des pièces d'archives et des documents photographiés par Jacques Inrep.

Comment expliquez-vous la réaction de Guy Mollet ?

Je pense que il a réagi en socialiste classique, c'est-à-dire qu'il croyait que les gens qui allaient le siffler à Alger, c'étaient des gros colons. Quand il a vu, avec stupeur, que c'étaient des tout- petits, le petit peuple pied-noir d'Alger qui le sifflait, il a basculé d'un seul coup : il a démissionné Catroux et l'a remplacé par Lacoste. Mais pour moi, la capitulation de Guy Mollet, la capitulation de l'État, a été l'un des jours noirs de ma vie.

Quand vous parlez de capitulation de l'État, c'est aussi ce que de Gaulle a dû penser ?

Oui, bien sûr. Mais pour moi, c'était la honte. À mes yeux, les deux dates cardinales de la guerre d'Algérie ont été la capitulation de Guy Mollet le 6 février 1956 et l'ordonnance du 7 janvier confiant les pouvoirs de police au général Massu, signée par le préfet d'Algérie, Serge Baret, et sur ordre de Robert Lacoste, ministre résident en Algérie. Germaine Tillion [1] sur ce point avait le même réflexe que moi.

Pour la guerre d'Algérie, qui est actuellement un grand chantier d'historiographie, avec les travaux de Raphaëlle Branche, de Sylvie Thénault, de Benjamin Stora notamment, je n'ai pas un mot à changer de ce que j'ai pu écrire, par exemple, dans *L'Affaire Audin* (1958), *La Raison d'État* (1962), *La Torture dans la République* (1972) et *Les Crimes de l'armée française* (1975) ; je ne peux qu'y renvoyer.

---

1. Germaine Tillion, ethnologue, spécialiste de l'ethnie berbère, entre en résistance au sein du groupe du musée de l'Homme, elle est déportée en 1942. Elle poursuit une activité militante après la guerre, notamment contre la torture en Algérie ou pour l'émancipation des femmes du pourtour méditerranéen. Elle a publié entre autres, *L'Afrique bascule vers l'avenir, l'Algérie en 1957 et autres textes* (1960) ; *Il était une fois l'ethnographie* (2000).

Affaire Dreyfus

Parmi les grandes questions d'histoire contemporaine, on a l'impression que l'Affaire Dreyfus n'en finit pas d'être étudiée. Qu'en pensez-vous ?

La récente biographie de Vincent Duclert[1] sur Dreyfus a l'avantage énorme d'être concentrée sur l'homme. Je la trouve trop laudative, même si c'est vrai qu'il y avait une attaque contre Dreyfus disant qu'il était un mannequin d'osier, un marchand de crayons, que sais-je encore, qui était extrêmement excessive. Ce qui est vrai, et ce que montre bien Duclert, c'est qu'il faisait partie de la jeune armée, et que les gens qui l'ont bousillé, l'ont bousillé un peu pour ça, parce qu'eux-mêmes étaient des vieilles culottes de peau, au sens technique du terme.

Ça aurait pu arriver à de Gaulle après...

Oui. Enfin, le père de de Gaulle était dreyfusard. De Gaulle, lui-même, a parlé deux fois de l'Affaire Dreyfus. Une fois, à l'occasion de la nomination d'un ambassa-

1. *Alfred Dreyfus : l'honneur d'un patriote*, Paris, Fayard, 2006.

deur à Damas ; Debré est allé le trouver, affolé, en disant « Mais savez-vous que sa femme est la petite-fille ou la fille de Dreyfus ? » Et de Gaulle a répondu : « On dira que c'est la fille d'un officier français. » L'autre mention de Dreyfus, on la trouve dans *La France et son armée.* Il écrit : « Vraisemblance de l'erreur judiciaire », sans aller plus loin.

Israël

Un autre combat tardif fut celui des historiens s'attaquant au mythe de la France unanime dans la Résistance et à la vraie nature du régime de Vichy. Un des débats les plus vifs porte sur l'Union générale des israélites de France (UGIF).

Ce que j'ai écrit, et avec quoi je suis toujours d'accord, c'est la préface au livre de Michel Laffitte, qui s'intitule *Un engrenage fatal.* C'était un élève d'Annette Wievorka, et quand elle m'a demandé d'être à sa thèse, elle m'a prévenu : « Vous verrez, il n'est pas d'accord avec vous. » En effet, il trouvait un peu excessif ce que j'avais écrit dans la préface au livre de Maurice Rajsfus, *Des Juifs dans la collaboration.*

L'UGIF, 1941-1944 : précédé d'une courte étude sur les Juifs de France en 1939. Je dois dire qu'il m'a convaincu, non pas que l'UGIF était une organisation résistante, mais qu'il y avait là des hommes de bonne volonté. Ça n'a pas été très brillant, c'est le moins qu'on puisse dire, mais enfin ils ont fait ce qu'ils ont pu.

Mon père était violemment contre l'UGIF, parce qu'il considérait que c'était une institution qui visait à séparer les juifs des autres Français – ce qui est exactement la raison pour laquelle Marc Bloch a refusé d'y adhérer. Il faut bien comprendre que la découverte de l'histoire, pour moi, je vous l'ai dit, c'est *L'Étrange Défaite* (1946) de Marc Bloch, qui, dans ma vie, a été le livre tournant. Je me souviens encore, quand j'en ai vu un compte rendu dans *Le Canard enchaîné* ou dans *Franc-tireur*, m'être précipité, dans l'après-midi, aux éditions Franc-tireur, et avoir acheté le livre.

Quand vous dites que l'histoire est née pour vous d'une réflexion sur la tragédie, c'est aussi celle-là, ce n'est pas seulement la tragédie grecque.

C'est surtout celle-là.

À la fin de la guerre, Robert Anchel avait fait une conférence sur l'idée de nation, et vous écriviez : « Robert Anchel répondit qu'il n'y avait pas de nation juive. Tel était aussi mon sentiment. »

Oui, en 1947-1948. C'était le débat autour du livre de Jean-Jacques Bernard, le fils de Tristan Bernard, on ne peut plus français et patriote. Il avait été interné avec toute une série de grands bourgeois juifs. Il était très malade, et avait fini par être libéré. À la Libération, il a publié un livre qui s'appelait *Le Camp de la mort lente : Compiègne 1941-1942*, paru dès 1944 chez Albin Michel. Son beau-frère, Robert Anchel, était l'auteur d'une très bonne thèse sur Napoléon et les Juifs. On l'avait interrogé sur les sionistes, on voulait savoir ce que le professeur Anchel pensait de la nation juive. La réponse avait été nette : « Il n'y a pas de nation juive. » On ne dirait plus ça aujourd'hui, tout en pensant qu'il y a une nation israélienne plus qu'une nation juive – mais enfin il y a une dimension nationale dans le judaïsme, il faut être aveugle pour ne pas voir cela ; mais à l'époque, je n'en avais absolument pas conscience, je n'étais d'ailleurs pas le seul.

Est-ce votre préface à l'ouvrage de Jacob Katz[1], Hors du ghetto : l'émancipation des Juifs en Europe – 1770-1870, *qui marque votre intérêt pour l'histoire juive contemporaine ? À l'époque, à Jérusalem, l'idée que ce soit Vidal-Naquet qui « cachérise » Jacob Katz qui, lui, venait d'une yeshiva hongroise et de l'université hébraïque de Jérusalem, en avait laissé pantois quelques-uns.*

Ça a commencé par un refus. Katz a envoyé un télégramme : « pas de publication de préface Naquet ». Il a même interdit la publication et, tout à coup, pendant le Salon du livre, qui s'est tenu quelques mois après, il y a eu un nouveau télégramme de Katz, qui disait : « Autorise publication préface Naquet. » J'ai cru longtemps que c'était Annie Kriegel qui était intervenue contre moi. Elle m'a dit qu'elle ne l'a jamais fait, et que naturellement elle trouvait que je me mêlais un peu de ce qui ne me regardait pas...

Reprenons la question classique, qui a été posée à Raymond Aron : qu'est-ce qui se passerait s'il n'y avait plus d'État d'Israël ?

---

1. *Hors du ghetto : l'émancipation des Juifs en Europe – 1770-1870*, traduit de l'anglais par J.-Fr. Sené, préface de Pierre Vidal-Naquet, Paris, Hachette, 1984.

Aron a eu des phrases extraordinaires, il a dit : « Si les grandes puissances, dans le calcul froid de leurs intérêts, laissaient disparaître ce petit État qui n'est pas le mien, j'y perdrais la force de vivre. » Je considère, pour ma part, que l'État d'Israël n'est pas le mien, que la politique qu'il fait est criminelle et suicidaire – mais je ne supporte pas l'idée de sa disparition.

Pour vous, le judaïsme, est-il autre chose qu'une simple culture au même titre que celle des Grecs ?

J'ai un jour dit que le judaïsme était pour moi une manière de demeurer internationaliste. Autrement dit, je ne suis pas sioniste. La première fois que je suis allé en Israël, j'ai rencontré André Scemama qui était le correspondant du journal *Le Monde*, et on lui a demandé ce que j'étais ; il a répondu : « Vidal-Naquet est sioniste, comme tous les Juifs. » J'ai dit : « Désolé de vous contredire, mais non, je ne suis pas sioniste. » Je suis ardemment diasporiste, c'est-à-dire que je considère que le judaïsme intéressant, c'est celui de la diaspora.

Sans essentialisme, peut-on dire que votre méthode historique qui aborde souvent les questions par le détour serait typiquement « juive » ?

Moi, je considère que c'est juif. C'est le contact entre la civilisation grecque et la civilisation juive qui m'intéresse. Et, immédiatement, on pense au livre génial de Momigliano, *Sagesses barbares*[1].

Mais pouvez-vous comprendre que, pour les Israéliens, il s'agit presque d'un judaïsme imaginaire, un judaïsme diasporique ?

Bien sûr. Mais ils n'ont pas tous eu cette réaction, puisque leur meilleur spécialiste de ces questions, qui s'appelle Uriel Rapoport, professeur à l'Université de Haïfa, a été enthousiasmé par mes travaux sur Flavius Josèphe. Ces travaux se sont prolongés par une participation à un volume sur l'histoire romaine, où j'ai traité des « Juifs entre l'État et l'Apocalypse ».

---

1. *Les Limites de l'hellénisation*, traduit de l'anglais par M.-Cl. Roussel, Paris, Maspero, 1979.

Plusieurs facteurs m'ont conduit à réfléchir là-dessus. Le premier, ça a évidemment été la persécution, le fait que j'arrive au lycée en sixième à Marseille, et que je me fais immédiatement traiter de « sale Juif ». Ça m'était arrivé une fois, dans un petit jardin qui était à côté de chez nous, au coin de la rue de Varenne et du boulevard des Invalides : un gosse m'avait traité de « fils d'Abraham ». J'étais rentré chez moi et j'avais demandé : « Qu'est-ce que ça veut dire, fils d'Abraham ? » On m'avait répondu : « Ne t'inquiète pas, le judaïsme, c'est la mère de toutes les religions. » On me donnait des leçons d'histoire sainte, et c'est la seule éducation religieuse que j'ai reçue.

Il y a eu 1967, la guerre des Six Jours, avec l'article dramatique de Raymond Aron dans *Le Figaro littéraire*. Aron disait : « Je sens un sentiment de solidarité, peu importe d'où il vient. » Rodinson avait répondu : « Il importe au contraire beaucoup. » Outre Josèphe pour mes cours à Lyon, je me suis mis à lire des tas de choses, des textes bibliques.

Je me souviens de la peur panique que j'ai ressentie au moment des attaques de 1967. J'ai reçu à ce moment le livre du premier Israélien que j'ai connu, le professeur Michaël Harsgor, aujourd'hui journaliste très connu. À l'époque, il était avnériste [1] – c'est-à-dire qu'il était tout à fait contre la politique du gouvernement israélien, il était pour faire basculer Israël dans le tiers monde. Mais bien des choses m'ont déplu immédiatement après 1967, notamment la « conférence des milliardaires » : le débarquement en Israël de toute une série de milliardaires new-yorkais qui se demandaient ce qu'ils pouvaient faire pour Israël, j'ai trouvé ça un peu pénible.

Il y a d'ailleurs des Juifs qui ne vous aiment pas...

Je suis inquiet de tous les intégrismes. Je me souviens d'un jour où je me baladais sur le boulevard de La Villette. Un monsieur m'aborde et me dit : « Vous êtes Monsieur Vidal-Naquet ? – Oui. – Sachez que nous sommes six cent mille en France à vous mépriser... »

C'est vrai que lors de mon premier voyage en Israël, on m'a dit le numéro un, c'est Maxime Rodinson, le numéro deux, c'est Éric Rouleau, le numéro trois c'est vous, Vidal-Naquet. Les trois traîtres.

1. Disciple du journaliste politique et pacifiste israélien Uri Avneri.

Comment expliquez-vous ce rejet ?

Ils savent très bien que je ne considère pas que tout Juif ait vocation à soutenir Israël. Prenons un exemple récent qui m'a stupéfait : j'ai préfacé chez Liana Levi une *Petite histoire de la Palestine et d'Israël* où chacun, l'auteur israélien et l'auteur palestinien, écrit sa version de l'histoire sur une page et l'autre sur la page d'en face. Les Palestiniens ne disent pas des choses aimables sur les Israéliens, et les Israéliens sont relativement plus évolués qu'eux, mais ce qui m'a surpris, c'est la réaction d'Élise Marienstras, qui m'a dit « je ne peux pas diffuser ce livre à cause des horreurs que disent les Palestiniens » !

Qu'est-ce que ça peut appeler comme commentaire, cette intelligence juive ? Pour le dire autrement, croyez-vous un peu à la transcendance, dans le cas de l'histoire juive, ou pas du tout ?

Je ne crois pas à la transcendance, en ce sens que je ne pense pas que les Juifs soient le peuple élu. L'idée d'élection est une idée juive, mais surtout elle a été reprise par les autres. Dès mon premier article dans *Le Monde* en 1967, je disais que l'idée de terre promise n'était pas plus rationnelle que l'idée d'élection. Israël est un État « idéologique », créé par une structure coloniale.

Lors de mon premier voyage en Israël, en 1970, j'ai rencontré Benjamin Cohen[1]. Il m'a dit : « Ma fille a regardé une carte de la Palestine, et elle m'a dit "là il y avait un village arabe, là aussi – mais où sont-ils ?" » C'est ça la question ! J'ai demandé à André Scemama, le journaliste du *Monde* en poste à Jérusalem, où était Deir Yacine[2], et il m'a répondu que c'était tout près de l'endroit de mon hôtel. Ça a été rasé, c'est là tout le problème.

Dans le premier article, intitulé « Après », que j'ai publié dans *Le Monde* daté du 12 juin 1967, alors que la guerre n'était pas encore terminée, je disais : « tout le monde sait quelles sont les conditions de la paix » – et je plaidais pour la constitution d'un État palestinien à partir de la bande de Gaza et de la Cisjordanie. L'idée centrale, à l'époque, c'était que les Palestiniens prennent le pouvoir en Jordanie, ce qu'ils n'ont jamais voulu faire, alors qu'ils auraient pu. Quand je suis allé en Israël, j'ai posé la ques-

1. Professeur d'histoire ancienne à l'Université de Tel Aviv.

2. Village détruit par l'armée israélienne, aujourd'hui un quartier de la périphérie de Jérusalem.

tion aux Israéliens. Une partie m'a dit « mais qu'ils le prennent donc ! », et l'autre partie m'a dit : « Si une chose pareille se passait, l'armée israélienne franchirait immédiatement le Jourdain. » Je pense que ce sont les seconds qui furent malheureusement prophètes.

Il ne faut pas oublier que le fondement de l'idéologie sioniste, c'est la normalisation. Laurent Schwartz m'a fait un jour une remarque qui a été pour moi illuminante. Il m'a dit : « Dans le monde entier, les meilleurs mathématiciens sont juifs, mais il y a un pays où il n'y a pas de grands mathématiciens – c'est Israël. » Alors cette question de l'intelligence juive, elle me paraît liée au fait diasporique, de même que l'excellence scolaire. D'ailleurs, dans les régions de France où il y a un certain nombre de protestants, les protestants ont exactement le même réflexe que les Juifs en ce qui concerne l'excellence scolaire. J'avais fait un article qui avait eu un certain retentissement, sur « Juifs et protestants pendant la Seconde guerre mondiale ». Quant on m'a mis chez les scouts, on m'a mis chez les scouts protestants – j'y étais en même temps que Michel Rocard.

Peut-on dire qu'une partie des problèmes d'Israël date de la « victoire » de 1967 ?

Au moment de la guerre du Liban, à l'été 1982, nous avons reçu, Geneviève et moi, une lettre de Benjamin Cohen, de protestation contre cette invasion du Liban, et on l'a publiée dans *Le Monde*, ce qui m'a valu un nombre faramineux de lettres, de Juifs et de non-Juifs. À cette époque s'est tenu un colloque sur la solution finale, et j'avais fait un exposé sur le révisionnisme. Quand je suis arrivé, Lanzmann a refusé ostensiblement de me serrer la main. Quand j'ai eu fini de parler, il s'est levé et a dit publiquement : « Tu as remarqué, je ne t'ai pas serré la main. Cela ne m'empêche pas d'admirer ton talent. » Quelque temps après, il m'a téléphoné pour me dire : « Il faut que nous nous réconciliions, parce que le Président veut nous avoir à déjeuner, et je ne peux pas arriver brouillé avec toi chez le Président. » Il y a eu, effectivement, un déjeuner à l'Élysée avec Simone de Beauvoir, Rodinson, moi et quelques autres. Védrine était là aussi, et j'ai signalé au cours de ce déjeuner que 80 % des terres de Cisjordanie avaient été mises sous le boisseau par Israël. Lanzmann est intervenu pour dire : « Sauf que c'est complètement faux. »

Mitterrand se tourne alors vers Védrine et lui demande : « combien ? » ; « environ 75 % », répond Védrine.

Lanzmann et Rodinson avaient quel genre d'échange ?

À la sortie, il y avait des journalistes qui nous interrogeaient, et Rodinson a dit : « On a appris à parler calmement. » Il faut voir ce qu'était Rodinson, à l'époque, pour les Juifs, c'était le diable. Il avait écrit dans les *Cahiers du communisme* un article intitulé « Sionisme et socialisme » ; c'était un article stalinien, dans lequel il niait toute dimension antisémite en URSS. Alors, vous comprenez bien que Rodinson, c'était l'ennemi numéro 1 ! Je l'ai connu pendant la guerre d'Algérie, et je ne l'ai jamais considéré comme le diable.

Il y a une chose dont je n'ai pas encore parlé, c'est la fameuse réunion du 31 mai 1967. À l'appel de Misrahi, Revault d'Allonnes, moi, il y a eu une réunion dans une petite salle de Saint-Germain-des-Prés, à laquelle Lanzmann est venu, et il a dit : « Sans Israël, je me sens tout nu ». Un Palestinien est alors intervenu : « Écoutez, il y a une déclaration de l'ONU. Si on commençait par dire qu'on accepte le principe des frontières données ? »

Misrahi s'est écrié : « Non, ce sont les frontières actuelles, c'est à prendre ou à laisser. » Il était complètement déchaîné. Je suis sorti de là avec un malaise épouvantable. On vivait dans l'hypothèse d'une attaque arabe sur Israël. On a rédigé un appel disant qu'Israël est le seul pays dont l'existence même est remise en cause. Cet appel a été signé par des milliers de gens, y compris Picasso et Hélène Parmelin, Simone Signoret, Yves Montand.

J'ai du mal à comprendre la peur d'Israël, depuis que le premier Israélien qui m'a rendu visite après la guerre m'a dit : « Mais mon cher ami, vous êtes fou. Vous ne vous rendez pas compte que l'armée israélienne est de loin la plus forte du Proche-Orient. »

Vous avez parlé de la menace d'algérianisation à propos d'Israël.

Oui, c'est dans l'anthologie publiée récemment par la *Revue des Études palestiniennes.* Le seul article de moi qu'ils aient retenu, c'est justement celui sur l'algérianisation d'Israël. Au début de cette année 2006, franchement sinistre au Proche-Orient, en Irak mais aussi en Israël-Palestine, est paru, à Paris, un livre intitulé *Ta'ayush.*

Journal d'un combat pour la paix Israël-Palestine 2002-2005[1], livre préfacé par mon vieil ami, l'indianiste Charles Malamoud, et dont l'auteur, David Shulman, est lui aussi indianiste. *Ta'ayush* signifie « coexistence » en arabe. Il est beau que ce mouvement, assurément minoritaire et dont les principaux dirigeants sont des Juifs israéliens, ait un nom arabe. Comme le dit Charles Malamoud, « aux yeux de David Shulman, l'injustice, la brutalité, le mépris contribuent à l'enlaidissement du monde ». *Ta'ayush* est un mouvement de désobéissance civile, inspiré de Gandhi, visant à créer la coexistence par des actes hautement symboliques, par exemple moissonner, à la faucille, un champ palestinien pour des Palestiniens ; ou encore replanter des oliviers là où d'autres oliviers ont été arrachés, planter un mûrier là où un autre mûrier a été détruit, parler autant que possible aux villageois palestiniens dans leur langue – tout cela en subissant les insultes des colons et le contrôle hostile des forces gouvernementales. J'espère que ce mouvement aura un avenir, mais je crains que la solution ne soit pas pour aujourd'hui.

---

1. *Ta'ayush : journal d'un combat pour la paix, Israël-Palestine 2002-2005*, traduit de l'anglais par T. Samoyault, préface de Charles Malamoud, Paris, Le Seuil, 2006.

Antisémitisme

L'émancipation a-t-elle été favorable aux Juifs ? Le judaïsme n'a-t-il pas perdu alors sa substance ?

Je déteste cette théorie, je la déteste ! Le premier à la soutenir, c'est en réalité Léon Poliakov. Et je l'ai vu se faire engueuler par Raymond Aron, qui n'était pas positivement un grand révolutionnaire. Au cours de sa soutenance de thèse, il lui a posé la question : « Mais enfin, l'émancipation, est-ce que c'était oui ou non une bonne chose ? » Même Simon Doubnov [1] a été obligé de reconnaître que, quand même, il valait mieux être émancipé qu'être dans le ghetto. D'une certaine manière, même Israël est issu en partie de l'émancipation, dans la mesure où ils se sont dit que l'émancipation – et c'était vrai pour les Juifs de l'Est – ne pourrait pas se faire dans le cadre national roumain, polonais ou russe, mais qu'elle avait besoin pour cela d'une terre qu'on proclamerait vierge à défaut qu'elle soit vierge. Cela a été assez bien compris même par Annie Kriegel, bien qu'elle ait été ma « meilleure ennemie ».

1. Historien russe du judaïsme (1860-1941), assassiné par les nazis.

J'ai une anecdote intéressante à propos d'Annie Kriegel. Dans son livre sur les Juifs, *Les Juifs et le monde moderne* (1977), il y a un passage dans lequel elle parle du Cantique des cantiques. L'héroïne du Cantique des cantiques dit : « Je suis noire mais je suis belle » – preuve, dit Annie Kriegel, qu'il y avait eu une alliance. Elle a cru que « *nigra sum* », cette forme orale, voulait dire « je suis une négresse », alors que cela veut dire « je suis brûlée par le soleil ». Je lui ai écrit une lettre sanglante à ce sujet !

Si l'on inverse la question, la haine du Juif, est-ce que c'est la même chose que la haine de l'Arabe, du nègre, ou pas du tout ?

Pas du tout. Tout cela a été dit très souvent : ce qu'on reproche au nègre, c'est d'être – ce qu'on reproche au Juif, c'est de ne pas être. Autrement dit, quoi qu'aient pu dire les antisémites, le Juif ne se reconnaît pas au visage, au nez. C'est quelqu'un qui ressemble, et qui n'est pas. Cela, Sartre l'a assez bien vu.

Avez-vous, dans votre carrière de professeur, du fait de vos collègues ou de la part de vos étudiants, connu des signes d'antisémitisme ?

Oui, mais de la part de mes collègues, jamais. Un jour, au lycée d'Orléans, dans mon premier poste, comme je disais qu'il y avait eu six millions de Juifs exterminés par les nazis, un type s'est écrié : « Ce n'est pas assez ! » Je l'ai foutu à la porte.

Hormis la sottise d'un adolescent, bien plus grave, à vos yeux, est la position de penseurs de la taille d'Heidegger qui exercent une véritable fascination sur l'intelligentsia française ?

Moi, Heidegger ne m'a jamais marqué, alors que j'étais l'élève de Beaufret, et que, de temps en temps, il nous transmettait la parole du maître. Et comme je n'y comprenais rien, pour parler franchement, ça n'allait pas plus loin. Beaufret avait beau nous expliquer un certain nombre de choses, moi l'histoire de « on est transi par l'être », ça ne passait pas.

Et l'usage du grec par Heidegger, qu'en dites-vous ?

Par le grec, je trouvais que c'était justement l'endroit où Heidegger se cassait la figure. C'est exactement ce qu'a constaté Castoriadis, quand il a fait sa série de séminaires sur la Grèce. Chaque fois qu'il a eu à expliquer un fragment d'Héraclite ou de Parménide, ça a été pour dire que Heidegger n'y avait absolument rien compris....

Mais nombre de ses textes se fondent sur des étymologies, comme dans le cas célèbre d' alêthéia...

Je ne marchais pas dans tout ça. Je ne marchais pas, parce que je ne comprenais pas. Alors quand j'ai compris que je ne comprenais pas, parce qu'il n'y avait rien à comprendre, j'ai correspondu notamment avec Dominique Janicaud [1] qui a écrit ce livre magnifique, sur *Heidegger en France* (2001). Je lui disais que c'était l'influence de Heidegger qui expliquait le ralliement de Beaufret à Faurisson, et il m'a répondu qu'il ne voyait en effet pas d'autre explication possible.

1. *Heidegger en France*, Paris, Albin Michel, 2001, rééd. Paris, Hachette, 2005.

Alors, pourquoi cette fascination ?

Pourquoi cette fascination ? Si je le savais, j'aurais peut-être été heideggérien !

Qu'est-ce que cela vous inspire, ce personnage qui a eu le comportement que l'on sait et qui, après 1945, ne se remet pas en question, ne réfléchit pas à cet égarement ?

Pour lui ce n'était pas un égarement. Pour moi, c'est très clair, et le pire est son attitude après la guerre.

Et celle de Carl Schmitt ?

Une des choses que j'ai du mal à tolérer chez Raymond Aron, c'est quand il dit que Carl Schmitt n'a pas été nazi. Ça, c'est absolument faux.

Heidegger passe pour être un lecteur inspiré de Hölderlin.

Oui et non. Hölderlin est la cause du « déconnage » de Beaufret. Il y a un excellent livre de Eliza Butler, qui s'intitule *Tyranny of Greece over Germany* (1935) dans lequel il est dit que le martyr du culte, c'est Hölderlin ! Cela explique comment Heidegger a pu confondre la Grèce d'Hölderlin et le régime nazi, ce qui est quand même fabuleux, comme contresens. Sur ce point Emmanuel Faye a totalement raison dans son livre sur Heidegger et le nazisme[1].

Quand avez-vous commencé à vous sentir « Juif » ?

Je n'avais pas tout lu de *L'Être et le Néant*, mais au moins les pages célèbres sur le regard. Je savais qu'être Juif, c'est vivre sous le regard d'autrui, et Sartre me délivrait de ce regard. Étant donné la culture familiale qui fut la mienne, je vous en ai parlé, j'avais tout pour faire un Juif « inauthentique », comme disait Sartre dans ses *Réflexions sur la question juive* que j'avais dévorées fin 1946. Je me souviens d'un camarade légèrement antisémite au lycée Carnot à qui je demandais en quoi je lui paraissais « Juif » – c'était je crois en 1944-1945 –, il me répondit : « Par le caractère excessif de ton patriotisme »,

1. *Heidegger, l'introduction du nazisme dans la philosophie*, Paris, Albin Michel, 2005.

et c'est là effectivement un trait que Sartre a bien repéré chez ceux qu'il appelle les Juifs « inauthentiques ».

Vous dites toujours : « Avec un ancien communiste on peut s'entendre, mais pas avec un ancien nazi ».

C'est une chose tout à fait importante. L'idée communiste, qu'on le veuille ou non, est une idée universaliste. Cela veut dire qu'une fois qu'un communiste est débarrassé de l'idée qu'un peuple élu existe quelque part et que ce sont les Russes – car c'est ça, l'idée de départ –, on peut s'entendre avec lui. Tandis qu'un nazi qui pense que le Reich millénaire était la bonne voie – même s'il quitte cela, il a été d'une perversité telle qu'il n'y a aucun dialogue possible.

Est-ce que vous pensez que cette histoire est consubstantielle, dans l'histoire allemande, ou est-ce que vous pencheriez pour la thèse de l'accident ?

L'antisémitisme allemand du XIXe siècle emploie des termes qui sont des termes terroristes. Il y manque le passage à l'acte, bien évidemment ; mais tout l'arsenal idéologique de l'antisémitisme allemand existait déjà au XIXe siècle. Alors je ne pense pas qu'Hitler soit tout à fait un accident. Mais la grande différence, cependant, c'est qu'Hitler est passé au côté pratique des choses. Personne n'est allé aussi loin qu'Adolf Hitler dans la réalisation pratique. En France il y avait Drumont, évidemment. Raymond Aron disait que l'antisémitisme allemand était moins fort que l'antisémitisme français…

Cette haine du Juif est-elle malheureusement constitutive de l'Europe occidentale, ou bien pensez-vous, en homme des Lumières, qu'un jour cela va s'arrêter ?

Je l'ai cru pendant longtemps, et je ne le crois plus beaucoup. Un homme comme Léon Poliakov caressait au fond le rêve d'un retour au ghetto. En aucune façon, je ne marche là-dedans. Il pensait aussi – de nombreux textes vont dans ce sens – que les Lumières ont été le pic de l'antisémitisme. Mais il oubliait de dire que ce sont les Lumières qui ont permis, aussi, l'abolition de la discrimination.

Il y a eu l'apparition de l'antisémitisme au lycée de Marseille, puis la déportation de mes parents. Au début, même encore en 1945-1946, je ne me sentais pas vraiment concerné, sauf face à la persécution. J'étais de ceux qui disent : je resterai Juif jusqu'à la disparition du dernier antisémite. Ensuite, il y a eu le fait que, en réfléchissant sur les causes de l'antisémitisme, j'étais conduit à penser non pas que les Juifs en étaient responsables, – comme le pensaient un certain nombre de gens –, mais à me dire qu'il y avait quand même un côté rebelle chez les juifs, qui était intéressant. Je n'ai pas vu, au début, de contradiction entre cela et la naissance d'Israël.

Je me souviens que, lorsque l'État d'Israël a été proclamé, mon ami Charles Malamoud, qui était pourtant un antisioniste viscéral, m'a dit : « Je ne peux pas ne pas penser au discours que l'on tient dans ma famille – "quelle est cette Jérusalem nouvelle ?". » À cette époque l'idée qu'il puisse y avoir quelque tort que ce soit du côté juif dans la création de l'État d'Israël aux dépens des Palestiniens, cela ne me traversait pas l'esprit.

Négationnistes

Dans votre débat contre les négationnistes, quelle place tient la figure controversée d'Hannah Arendt ?

Il y a un aspect de provocation, c'est vrai. J'ai écrit le premier article qu'on ait écrit en France sur Hannah Arendt. C'était mon compte rendu dans *Le Monde* ; il y avait à côté le compte rendu de Manes Sperber[1], et c'est sans doute une des premières fois que le nom de Hannah Arendt a été cité dans *Le Monde*.

À l'époque où Le Nouvel Observateur *titrait : « Hannah Arendt est-elle nazie ? »*

C'est une énormité. Il y avait un article de Manes Sperber, qui s'appelait « Le désastre incompris » ; et j'ai reçu un mot de Finley à ce sujet, qui me disait : « Votre article est d'autant meilleur qu'il y a à côté cet article stupidissime de Sperber. » Sperber a par ailleurs écrit de bonnes choses.

Il y a eu l'élève qui disait « six millions, ce n'est pas assez », puis plus tard vous vous êtes aperçu qu'on disait « six millions, ce n'est pas vrai ». Pensez-vous que le négationnisme a un futur ?

---

1. (1905-1984).

Je ne sais pas s'il a un futur. Ce que je sais, c'est que j'ai vu un jour, à ma grande surprise, que pendant la guerre d'Algérie, sur les listes du comité Audin, il y avait un soldat Robert Faurisson. Et puis Michel Crouzet, qui est maintenant à l'extrême droite après avoir été un stalinien absolument enragé, a reçu une lettre signée Robert Faurisson, qui disait ceci : « Un bon conseil : cachez vos Juifs. Je comprends qu'un Vidal-Naquet vibrionne avec plaisir dans cette abominable affaire, mais cachez-le. » Alors je me suis dit : il n'a pas changé. Lorsque j'ai vu ensuite qu'il se déclarait ennemi de l'antisémitisme, j'avais quelques souvenirs qui allaient dans le sens contraire.

Ce qui m'a accablé, ce n'est pas Faurisson lui-même, que je considérais plutôt comme un clown (comme disait Poliakov) – mais c'est l'histoire de Serge Thion. C'était un camarade de lutte contre la guerre d'Algérie, un peu plus jeune, je l'avais connu comme militant contre l'apartheid, c'est lui qui m'avait fait connaître le nom de Nelson Mandela, lui qui a fait publier aux Éditions de Minuit son *Contre l'apartheid*. Quand il est venu chez moi accompagné de Paul Thibaud pour m'expliquer que les propos de Faurisson, c'était du sérieux, j'ai littéralement étouffé. À l'époque, je n'avais pas fait d'études spéciales sur le sujet, mais une chose était absolument claire et lumineuse, c'est ce qui se passait à l'arrivée du train : une partie des gens était sélectionnée pour entrer dans le camp, et les autres n'entraient pas dans le camp. Il a fini par me dire : « Tu veux un exemple de quelqu'un qui est sur la liste, et qui a survécu ? Simone Veil ! » Effectivement, dans les listes établies par Klarsfeld, c'est le cas exceptionnel.

Dans le cas de Serge Thion par exemple, ça vous paraît une pathologie ?

À mon avis, c'est dû au Cambodge. Ce type avait soutenu les khmers rouges, il avait fait un livre sur eux, *Des courtisans aux partisans*, et quand on s'est aperçu que les khmers rouges se livraient aux pratiques que nous connaissons, quelque chose en lui s'est retourné. Comme il voulait pouvoir dire qu'il n'y avait pas eu de génocide des khmers rouges, il fallait qu'ils n'y ait jamais eu de génocide du tout, que le concept même de génocide était une absurdité. D'où son alliance avec Chomsky, que Chomsky lui a rendue en signant un texte pour Faurisson. Dans la galerie de mes haines, il y a d'abord et avant tout Robert Faurisson.

Mais finalement vous avez gagné – quand on voit ça sur la longue durée.

Sur la longue durée, j'ai incontestablement gagné. Mais il faut savoir que, à l'époque, on disait dans un certain nombre de journaux, y compris dans le débat interne du *Nouvel Observateur* : « Après tout, si ça n'a pas existé, c'est possible, peut-être bien que c'était pour les Américains et les Russes une manière commode de s'entendre. » Comme en plus ça s'est passé dans un pays contrôlé par l'Union soviétique, l'anticommunisme faisait qu'on disait : s'ils nous mentent sur Vorkuta, ils peuvent aussi bien nous mentir sur Auschwitz.

Nous sommes allés à Auschwitz, à l'occasion d'un voyage en Pologne en 1974, et j'ai vu les restes des chambres à gaz.

Comment expliquez-vous, en tant qu'historien, qu'il ait fallu ce laps de temps pour que des études sérieuses sur la Shoah voient le jour ?

Je l'explique par une chose qui est très gênante dans l'histoire de France : c'est qu'il y avait des spécialistes anglais, allemands, américains, du génocide ; à part Poliakov, qui venait du droit et non pas de l'histoire, il n'y avait pas de spécialiste français – pour une raison à mon avis fondamentale : c'est Vichy, la honte de Vichy, de « ce passé qui ne passe pas », comme disait Henry Rousso, qui empêchait tout regard historique un peu froid.

Avez-vous peur que, dans quelques années, il y ait de nouveaux Faurisson qui ressurgissent ?

J'en suis persuadé. Pour l'instant j'estime que nous avons gagné, mais je pense que ça reviendra ! L'Iran, de ce point de vue, est un cas exemplaire.

La lutte contre le négationnisme est l'affaire de votre vie ?

Oui. J'ai mis beaucoup de passion dans la bataille contre la torture. Je n'ai retrouvé semblable passion que lorsqu'il s'est agi, à la fin des années 1970, de dénoncer les falsificateurs de l'histoire. L'article de moi dont je suis le plus fier, parce que je suis le seul qui aurais pu l'écrire, c'est « Un Eichmann de papier ».

Le paysage intellectuel de cette époque

Vos travaux et vos combats vous ont-ils rapproché de quelques grands intellectuels, pour certains militants ?

J'ai lu tout Gide quand j'avais dix-huit ans, et ce que j'aimais le plus, c'était *Les Faux-monnayeurs* et *Paludes.* J'ai eu la chance de le rencontrer. Il m'a fait grande impression : j'avais dix-huit ans et je m'occupais de la petite revue dont nous avons parlé, *Imprudence.* Jean Paulhan m'avait invité au « premier lundi » du mois qui se passait chez Gallimard, et là j'ai vu Gide, avec une chemise rouge, qui pressait la main de quelqu'un sur son cœur, exactement le geste que j'ai vu faire à Léon Blum. Ils étaient de la même génération, c'étaient deux amis.

Comment avez-vous perçu le rôle qu'a joué Jean Paulhan au moment de l'épuration ?

Paulhan a toujours défendu ce que je faisais. La première fois que je l'ai vu, je lui ai parlé de René Char, et il m'a dit : « Ah ! Char est enragé contre Jouhandeau, il voudrait le pendre, mais, le pauvre, il n'a rien fait. » Il a quand même été à Weimar en 1942 avec une délégation d'écrivains français – ce qui n'est pas rien. Dans le livre d'Anne Simonin sur les Éditions de Minuit [1], on voit bien le rôle qu'y a joué Paulhan, dans la clandestinité.

À propos de Dumézil, que pensez-vous des attaques dont il a été l'objet à propos des Indo-Européens et de la querelle qui l'a opposé à Momigliano ?

Dumézil était un homme de droite, incontestablement, mais pas un fasciste, encore moins un nazi. J'ai écrit à Momigliano pour lui dire que j'admirais beaucoup Dumézil et j'ai écrit à Dumézil pour lui dire que j'admirais beaucoup Momigliano... Mais c'est vrai que la première fois que Momigliano a évoqué Dumézil avec moi, c'était pour dire que c'était un fasciste, ce que je n'ai jamais pensé. Certes, il a été quelque temps le secrétaire de Pierre Gaxotte, mais il n'a jamais écrit une ligne qui soit antisémite ; cette interprétation est absurde. On lui a fait

1. *Les Éditions de Minuit : 1942-1955, le devoir d'insoumission*, Paris, IMEC, 1994.

un très mauvais procès. Avec Pierre Nora, j'ai été un de ses défenseurs.

Les écrits de Jacques Lacan ont-ils eu une influence sur votre propre travail ?

Lacan, je trouve cela illisible. Sauf le séminaire sur Antigone[1] qui a été imprimé dans des conditions absolument révoltantes. J'ai écrit à Jacques-Alain Miller, pour lui donner la longue liste des erreurs que j'avais relevées lors de la première édition (1981). Vous savez que c'est une de mes spécialités ! Pas un seul mot grec n'était correctement écrit...

Les erreurs étaient des erreurs de transcription ?

Lacan savait un peu de grec. Dans son séminaire sur Antigone, il y a des choses intéressantes, parce qu'il a compris que cette figure était entre deux mondes, ce qu'il a très bien développé. Quand Jacques-Alain Miller m'a envoyé ce livre avec une belle dédicace, je lui ai répondu

1. *Éthique de la psychanalyse, séminaire 7*, Paris, Le Seuil, 1986.

par huit pages de corrections. Alors, quelque temps après, Judith, son épouse, me téléphone pour autre chose et je lui dis « mais Jacques-Alain n'a pas répondu à ma lettre » ; « mais quelle lettre ? », me dit-elle. Plus tard, elle me rappelle en disant : « Écoutez, on ne retrouve pas du tout cette lettre, pouvez-vous la refaire ? » Je l'ai refaite et il ne m'en a toujours pas accusé réception. Il a juste corrigé dans une édition ultérieure les plus grosses fautes en disant que c'étaient les professeurs Bollack et Vidal-Naquet qui lui avaient signalé quelques erreurs...

Jean-Pierre Vernant, dans ses études sur Œdipe, Nicole Loraux, d'autres encore se sont frottés à la psychanalyse ou ont même utilisé certains concepts psychanalytiques pour parler de l'Antiquité, vous non.

Nicole Loraux, en effet, a beaucoup intégré la psychanalyse à son travail, moi jamais. Si j'ai parlé dans certains de mes papiers de notions de double, d'ambivalence, d'ambiguïté, je l'aurais tout aussi bien fait sans la psychanalyse. J'ai dû lire Freud en classe de première, ou en Philosophie, surtout un *Souvenir d'enfance de Léonard de Vinci*. C'est par ce texte que j'ai commencé. Je n'ai jamais lu les œuvres complètes. Le premier ouvrage que j'ai lu sur les œuvres complètes de Freud, c'est l'analyse de Paul Ricœur[1] qui est tout à fait extraordinaire.

Et les Antigones *de George Steiner ?*

C'est magnifique. George Steiner[2], c'est un type que j'admire profondément. Dans un numéro du *Nouvel Observateur*, l'affreux Bernard-Henri Lévy un jour a osé écrire : « Genève[3], à éviter à cause de George Steiner », c'est absolument effroyable !

Vous savez que depuis 1979, date de son *Testament de Dieu*, je n'ai cessé d'être en guerre avec ce personnage, agrégé de philosophie, normalien et juif. Il n'a aucune connaissance sérieuse du judaïsme et de l'hellénisme et accumule les erreurs les plus grossières dans ses livres ; je les ai d'ailleurs régulièrement relevées et publiées. Le plus

---

1. *De l'interprétation : essai sur Freud*, Paris, Le Seuil, 1965 *; Le Conflit des interprétations : essai d'herméneutique*, Paris, Le Seuil, 1969.

2. George Steiner, spécialiste de Littérature comparée, est l'auteur de nombreux ouvrages : *Après Babel* (rééd. 1998) ; *Les Antigones* (1979) ; *Passions impunies* (1997) ; *Errata* (1998) ; *Maîtres et disciples* (2006).

3. Où enseignait George Steiner.

important pour moi, je l'ai écrit dans mes *Mémoires*[1] : « Ce n'est pas que j'ignore, comme le dit souvent Lilly Scherr, qu'il n'y a que les antisémites à s'imaginer que tous les Juifs sont intelligents ; mais il est vrai que je préfère, sans doute par un orgueil mal placé, qu'un Juif qui s'exprime en public ne dise pas trop de sottises. Cette bataille contre "B.-H. L" s'inscrivait en réalité dans un ensemble déjà ancien, dans un effort de moralisation de la vie politique et intellectuelle. »

L'œuvre d'Edgar Morin vous est-elle familière ?

J'ai beaucoup aimé certains de ses textes, son autobiographie notamment. Nous nous sommes brouillés quand il a commencé à écrire des âneries sur la Grèce, en prétendant qu'il n'y avait pas de mot grec pour désigner la raison, ce qui est une erreur absolument monstrueuse.

Récemment, le procès dont il a fait l'objet à propos d'Israël m'a beaucoup choqué, je suis entièrement de son côté. Je trouve même qu'il est relativement plus indulgent que moi pour Israël. Non, c'est absurde, ce procès.

---

1. *Mémoires*, II. *Le trouble et la lumière*, Paris, Le Seuil, La Découverte, 1998, p. 361.

Vous avez été aux côtés de Foucault pour dénoncer la condition carcérale, notamment. Son œuvre philosophique vous a-t-elle influencé ?

J'ai mené avec Michel Foucault le combat sur les prisons et notamment contre les « barreaux du silence » du système carcéral. Au début, avec Jean-Marie Domenach et lui. En fait, c'est lui et Daniel Defert qui ont assumé l'essentiel du travail, et moi je n'étais là qu'au début, lors de la rédaction du Manifeste du 8 février 1971 et de la formation du Groupe d'information sur les prisons (GIP). Je ne suis pas allé beaucoup dans les prisons, et ma contribution se limite à une longue interview publiée dans *Politis*.

L'œuvre de Foucault est une très grande œuvre. J'en ai surtout retiré l'idée des *épistêmai* qui se sont succédé à partir de la Renaissance. C'est vrai que dans ses dernières œuvres, la Grèce était au centre et que cela m'intéressait. Cependant, des « communications » entre son travail et le mien, il y en avait très peu. Vous savez, une fois que j'ai eu rencontré Vernant, je n'ai plus eu envie de connaître qui que ce soit d'autre. Vernant, c'est la rencontre fondamentale de ma vie, presque par hasard.

Vous êtes resté à la marge du marxisme. Qu'est-ce qui vous a tenu relativement à l'écart : le judaïsme ? la science historique, la philologie ?

En un sens, ce sont les intellectuels de « Socialisme ou barbarie » qui m'ont immunisé contre le marxisme, car eux l'avaient abandonné. Quant à l'adhésion au marxisme de toute une partie des intellectuels français, j'ai toujours été à la fois dedans et dehors. J'ai seulement dit que j'étais marxiste quand je disais des choses non marxistes.

Je me souviens qu'à *Imprudence* nous avons publié le premier texte de Jean-François Lyotard, il était tellement bizarre qu'on l'a appelé « texte » avec trois petits points. Je le revois à Caen, au moment où je présidais le jury du bac, où lui était interrogateur. Il se met à me dire : « Rassurez-vous, je ne suis pas communiste, mais je suis marxiste. » Je n'avais pas peur !

Je ne me suis traité de marxiste qu'une seule fois, dans un article sur « Treblinka et l'honneur des Juifs » publié dans *Le Monde* à propos du livre de Jean-François Steiner. Dans toute cette querelle suscitée par le livre, j'ai dit : « pour le Juif athée marxiste et français que je suis », etc. Ce qui m'a valu de vivre une scène plutôt cocasse : Louis

Robert, le grand épigraphiste, me rencontre quelques jours après et me dit « C'est vous ? Moi, par exemple, je ne savais même pas que vous étiez juif. Mon ami Isidore Lévy n'a jamais éprouvé le besoin de me le dire ! »

Et l'autre grande figure du monde intellectuel français, Pierre Bourdieu ?

Bourdieu était mon collègue en 1961 à la faculté des lettres de Lille où j'étais assistant d'histoire ancienne, puis il m'a précédé à l'École pratique des hautes études et il a voté pour moi. C'est un peu avant ma nomination à Lille que, pour la première fois, j'avais entendu parler de lui par Jérôme Lindon. Bourdieu avait fait connaître au public, dans un « Que sais-je ? », la situation en Algérie. Il a par la suite rédigé d'autres travaux sur l'Algérie que j'ai lus avec passion : *Travail et travailleurs en Algérie* (1963) ou « La maison kabyle », repris dans *Esquisse d'une théorie de la pratique* (1972). J'ai aussi apprécié de nombreux autres de ses ouvrages comme *L'Ontologie politique de Martin Heidegger* (1988) où il analysait les rapports entre Heidegger et le nazisme. J'ai écrit ce que j'avais à dire sur lui dans le volume édité par Flammarion, *Travailler avec*

Bourdieu (2003). Pierre Bourdieu était un éveilleur extraordinaire. C'était un maître pour Denis, mon fils aîné, qui avait une grande passion pour lui.

Vous avez été le collègue de Gilles Deleuze à Lyon. Le lisiez-vous ?

Il y avait deux Deleuze, un Deleuze que je comprenais et un Deleuze que je ne comprenais pas. Le Deleuze de *L'Anti-Œdipe* (1973), je n'en comprends pas un mot, mais je comprends le Deleuze de *Nietzsche et la philosophie* (1962). *Empirisme et subjectivité, La Philosophie critique de Kant* (1987), *Différence et répétition* (1968) sont des livres formidables.

Et Baudrillard ?

C'est un camarade, nous étions en hypokhâgne ensemble. Ce qu'il a écrit sur l'imagination est très bon. Mais quand il dit que le mur de Berlin est une métaphore, je trouve que, de temps en temps, il exagère. Je me souviens d'un jour où le professeur de latin, rendant les corrections de la composition de version latine, nous a dit : « Messieurs, saluons le premier, il est parti, c'est Baudrillard ! » Il était en effet parti faire le porteur d'eau en Grèce, visitant tous les ports méditerranéen, vendant des éponges... C'est un type qui a beaucoup d'inventivité. Il exaspérait Cornelius Castoriadis avec son non-existentialisme...

Vous citez peu Derrida ?

Derrida est un homme avec qui j'ai eu des rapports personnels assez cordiaux, mais je n'ai jamais compris un mot à ce qu'il écrivait. Et, fort heureusement, Jacques Brunschwig non plus ! Le seul texte de lui que j'aie digéré, c'est le *Pharmakon*, « La pharmacie de Platon[1] ». Il y a plein de choses intéressantes, son texte sur Levinas et Rosenzweig, par exemple, mais c'est un style qui ne me convient pas. Vous connaissez le jeu de mots américain : « Derrida, c'est derrière le rideau. »

Avec Castoriadis, un de vos grands amis, vous vous êtes approché du groupe de « Socialisme ou barbarie » ?

1. Repris in *L'Écriture et la différence*, Paris, Le Seuil, 1967.

J'ai commencé à lire *Socialisme ou barbarie* en 1956, au moment de l'affaire hongroise. J'ai acheté les numéros, et ensuite je leur ai écrit pour leur dire que je désirais les rencontrer, ce que j'ai fait en 1958. Je me suis abonné au moment où ils étaient en train de scissionner, ce qui fait que je recevais à la fois *Socialisme ou barbarie* et le *Pouvoir ouvrier*. Je n'étais pas fichu d'ailleurs de voir la différence, et leurs querelles sectaires ne m'intéressaient pas beaucoup. Mais je les ai lus tous les deux jusqu'à la mort de la revue et la disparition des deux groupuscules. Ce qui était passionnant dans *SOB*, c'était l'analyse de la société soviétique. Bien des gens étaient absolument rebelles à cette approche ; ainsi, quand j'ai signalé ces analyses à Pierre Sorlin au moment où il faisait son livre sur la société soviétique, il n'a rien pu en tirer, pas une ligne. Il m'a dit : « tout ça c'est de l'abstrait ». Moi, au contraire, je trouvais ça intéressant.

Et Raison présente, *quel était son public ?*

Le public, c'était l'Union rationaliste, fondée en 1930, sous l'impulsion du physicien Paul Langevin. Elle compte des membres éminents, comme Maurice Agulhon et Jean-

Pierre Vernant et a toujours lutté pour la laïcité de l'État. J'y ai publié pas mal de choses importantes comme « La raison grecque et la cité » ou « Les esclaves grecs étaient-ils une classe ? »

L'Union rationaliste fait penser à Maxime Rodinson, qui était votre ami.

C'est le plus grand érudit que j'aie jamais connu, oui. Quand vous lui envoyiez un livre, ce qui était tout à fait étonnant, c'est qu'il le lisait, il prenait des notes, et il vous corrigeait. Ses *Mémoires* sont extraordinaires. On voit le gamin qui faisait son métier de coursier en réservant une place dans sa journée pour l'étude de l'éthiopien ancien !

Comment avez-vous connu Jérôme Lindon, votre premier éditeur et votre ami ?

J'ai vu Lindon jeune pour la première fois pendant l'hiver 1943-1944. Son père était un ami de ma famille. Je l'ai revu à l'époque d'*Imprudence* où il m'a fourni du papier de luxe pour les deux premiers numéros – il était à l'époque chef de fabrication aux Éditions de Minuit. Et je l'ai retrouvé pendant la guerre d'Algérie ; c'est à ce moment qu'il m'a proposé de faire le livre sur l'affaire Audin. En fait, ce premier livre, c'est lui qui l'a fait, c'est lui qui m'a appris à écrire. Je l'ai d'ailleurs clairement reconnu. Et, que je ne l'avais pas écrit, il avait les moyens de le prouver, car il a gardé le manuscrit ! Là notre amitié est devenue vraiment complète et, la dernière fois que je lui ai parlé, il m'a dit : « Tu es mon meilleur ami. » C'était un lien fraternel, mais nous avons eu des disputes violentes, notamment quand j'ai su qu'il votait pour de Gaulle.

Au fond, parmi vos proches amis, il y avait des gens qui étaient souvent autodidactes et qui ont changé de statut : Rodinson a été un grand professeur, alors qu'il aurait pu terminer sa vie comme coursier, Lindon, de chef de fabrication est devenu un grand éditeur, comme François Maspero, qui avant d'être éditeur et écrivain était libraire.

François, c'est un fils d'intellectuel, le petit-fils d'un intellectuel, presque tous morts pour la France. C'est un type prodigieux, Maspero, un très grand ami. On s'est engueulé une fois de façon épouvantable à propos d'un texte de *Vérité et liberté* où on disait que les fellaghas avaient commis quand même des crimes. Il n'admettait pas qu'on dise la moindre chose à ce sujet, et il m'a écrit une lettre de rupture absolument sanglante que j'ai reproduite dans mes mémoires, avec son accord. En fait, je l'aime énormément.

Avant d'être une maison d'édition, Maspero c'était une librairie, une librairie qui était l'un des principaux lieux de rencontre. J'ai témoigné en justice pour Maspero, que l'on accusait d'avoir étalé de la pornographie. J'ai répondu que si je cherchais des livres pornographiques, j'irais les chercher ailleurs que chez Maspero !

Vous avez peu parlé d'Aron. Pourquoi ?

Raymond Aron ne pensait pas grand bien de moi, mais moi je pensais grand bien de lui. C'est un immense intellectuel, cela ne fait aucun doute

Il a voté pour moi à l'École, c'est déjà quelque chose. Ce qui l'a beaucoup fâché, c'est le livre sur 68 que j'ai écrit avec Alain Schnapp [1]. Lors d'une émission avec Jacques Le Goff, il n'a cessé de répéter qu'il ne voyait pas le rapport

1. *Histoire de la Commune étudiante, textes et documents, novembre 1967-juin 1968*, Paris, Le Seuil, 1969.

que ça pouvait avoir avec le travail de spécialistes d'histoire ancienne… À la fin, il a demandé à Le Goff de couper les vacheries qu'il a dites sur moi.

Dans mes *Mémoires*, j'ai reproduit une merveilleuse photo de mon père avec Aron qui a l'air d'une godiche. C'est à Charleville, mon oncle était officier, mon père, maréchal des logis, et Aron était… Aron.

CHAPITRE 4

LA GRÈCE ET SES DÉTOURS

« L'Atlantide est le monde de l'histoire, telle, en apparence, que l'entend Platon, c'est-à-dire le monde de l'altérité pure. Sa description est esquissée dans le Timée, *décrite avec quelque souci des détails dans le* Critias. *Je dis le "monde de l'histoire", et je me rends compte en même temps de ce que cette expression a d'excessif. Toute histoire pour Platon est faite de mensonge. L'histoire de l'Atlantide voit l'altérité se développer librement. Dans le* Timée, *on saisit l'Atlantide, "île plus étendue que la Libye et l'Asie prises ensemble" (24e), sise au-delà des Colonnes d'Héraclès (le détroit de Gibraltar), dans la mer "réelle" et non plus dans la "mare aux grenouilles" dont parle le* Phédon *et que nous appelons la Méditerranée, au moment de son effort impérial suprême. Maîtresse de la Libye et de l'Italie du Nord, elle entre-*

*prend la conquête de l'Égypte, de la Grèce et du reste du monde méditerranéen. Athènes restée seule, comme à Marathon, vainquit l'invasion atlante et libéra les peuples réduits en esclavage. Au cours de ce récit pseudo-historique, il y a une difficulté chronologique qui ne peut guère être que volontaire. Athènes est antérieure de 1 000 ans à Saïs, cité égyptienne fondée par la déesse Neith, nom égyptien d'Athéna (*Timée *23d-e). Comment, dans ces conditions, les hiéroglyphes égyptiens ont-ils pu conserver la description et le récit de la fondation de l'Athènes primitive ? On est décidément dans le mythe. »*

L'Atlantide. Petite histoire d'un mythe platonicien,
Paris, Les Belles Lettres, 2005, p. 29.

Le monde des antiquisants

Quand vous avez commencé à enseigner l'histoire grecque, le référent obligé était-il l'Association Guillaume Budé ?

Très largement. Mais j'étais professeur d'histoire et non de grec. À l'époque, il y avait un Platon pour les philosophes, un Platon pour les littéraires, mais il n'y avait pas de Platon pour les historiens. Le Platon qui aurait intéressé les historiens était confié à ce marginal qu'était Louis Gernet. Je n'ai eu à ma soutenance de thèse qu'un seul helléniste proprement dit, Jean Pouilloux. Il y avait aussi Claire Préaux qui était historienne au moins autant que papyrologue. Je ne me suis jamais considéré comme un helléniste, à la différence de Jean Bollack qui, lui, a eu maille à partir avec les hellénistes de la Sorbonne.

Un épisode très drôle qui me revient à l'esprit est un échange, pendant la soutenance de thèse de Bollack, au cours duquel Jacqueline de Romilly lui a posé une question à laquelle il a répondu en commençant par : « Ah, ça, c'est une bonne question... » Je pense qu'elle l'a gardé sur l'estomac... Jacqueline de Romilly a cette particularité qu'elle est intelligente, à l'inverse de certains hellénistes. Je pourrais donner de nombreux exemples mais il suffit de mentionner une *Histoire littéraire de la Grèce,* publiée en 1962 par Robert Flacelière, qui est absolument consternante : on y compare Antigone à Jeanne d'Arc..., on y soutient aussi que l'homosexualité grecque était absolument platonique, ce qui est burlesque ! Les représentations sur les vases sont tout à fait explicites pourtant.

L'helléniste typique, c'était Fernand Robert, qui était un brave type. Son père était sabotier, et lui avait fait le cursus ascensionnel de la IIIe République. Il était SFIO, ce qui fait qu'aux yeux de beaucoup de ses collègues il passait pour un homme d'extrême gauche. Mais c'était aussi un mandarin – il a même écrit un livre après 1968 qu'il a intitulé : *Un mandarin prend la parole*[1]. Au

1. Paris, PUF, 1970.

cours d'une réunion à laquelle je participais, quelqu'un a demandé : « À quoi servent les études grecques ? » et j'ai répondu : « À ne pas se laisser manipuler ». Fernand Robert a rapporté ce mot en disant qu'il l'avait entendu de la bouche d'un étudiant révolutionnaire !

Comment jugez-vous le « retour aux Grecs » de ces dernières années ?

Je crois qu'il faut sauver le grec, mais le problème, c'est que les principaux ennemis du grec, ce sont les hellénistes eux-mêmes. Il n'y a qu'à regarder les traductions de Plutarque : celles d'Anne-Marie Ozanam chez Gallimard et celles de Flacelière, dans la collection des Universités de France, publiée sous le patronage de l'association Guillaume Budé. D'un côté, on a du français qui est parfaitement fidèle au grec, et de l'autre on a des approximations méandreuses où Plutarque apparaît comme aussi épais que Flacelière ! Une des joies de ma vie est d'avoir relu le Plutarque d'Anne-Marie Ozanam.

Il y a la traduction, mais aussi le thème grec...

J'en ai fait un dans ma vie, celui de la licence. J'avais appris par cœur le manuel de thème grec de Bizos, la veille au soir. Je suis tombé sur une fable de La Fontaine à mettre en grec, qui m'a valu une note très honorable, avec Flacelière d'ailleurs ; je crois que j'ai eu 13,5. Le thème grec est un exercice forcément artificiel, car il est censé écrire un certain attique, celui des orateurs du IVe siècle. Or, avec cet attique du IVe siècle, on ne peut pas lire Hérodote, par exemple, parce que c'est de l'ionien, ou Homère, parce que c'est un ionien mâtiné d'éolien.

Pourquoi dites-vous que les hellénistes sont les pires ennemis du grec ?

Le problème, c'est qu'ils s'imaginent qu'être helléniste, c'est les reproduire eux. Ainsi, par exemple, j'ai entendu Fernand Robert, qui était loin d'être le pire, faire un exposé sur l'interprétation politique d'*Antigone*, en oubliant le fait que Sophocle avait été un homme politique, stratège à Athènes, à la suite précisément de l'*Antigone*. Ce qui est encore plus étonnant, c'est de constater que, des trois auteurs tragiques, celui qui est le plus proche de l'histoire, c'est-à-dire Euripide, est précisément celui qui n'a eu aucun rôle civique. On a pu écrire en 1962 une histoire vraisemblable d'Athènes à partir d'Euripide – c'est *Euripide et Athènes* de Roger Goossens[1] –, mais à partir d'Eschyle ou de Sophocle c'est totalement impossible. On peut, bien entendu, se servir du récit de la bataille de Salamine dans les *Perses* d'Eschyle, mais dans l'œuvre de Sophocle, la guerre du Péloponnèse n'apparaît absolument pas, alors qu'elle est au centre chez Euripide.

Dans un article important pour moi, « Épaminondas pythagoricien », j'ai suggéré avec Pierre Lévêque qu'Épaminondas, qui avait inventé une nouvelle stratégie, avait été l'élève d'un pythagoricien dissident, Philolaos, et que cela expliquait pourquoi il choisissait d'attaquer par l'aile gauche parce qu'il avait une conception neutre de l'espace. Ce fut une petite révolution : les hellénistes étaient très sceptiques, les historiens aussi. Seul Pierre-Maxime Schuhl, dans un compte rendu paru dans *La Revue philosophique*, s'est montré très favorable à ce travail.

Pensez-vous qu'aujourd'hui les antiquisants sont un peu moins étriqués, moins « centrés » sur leur seule discipline ?

---

1. Bruxelles, Palais des académies, 1962.

Non, parce que la Sorbonne est toujours tenue par des réactionnaires. Enfin, il faut bien qu'il y ait un Vatican quelque part, et ce Vatican, c'est Madame de Romilly.

Il faut bien aussi que des gens croient toujours aux voyages d'Homère.

Il y a encore Jean Cuisenier[1], par exemple, qui s'imagine qu'il a refait le voyage d'Ulysse. Enfin, sur l'*Odyssée*, malgré Cuisenier, j'ai quand même gagné : Paul Demont, professeur de littérature grecque à Paris-IV, a recommandé, dans son édition de l'*Odyssée*, de lire mon article « Valeurs religieuses et mythiques de le terre et du sacrifice dans l'*Odyssée* ». Oui, sur ce point, j'ai gagné.

L'Autre Grèce

Louis Gernet a été le maître de Jean-Pierre Vernant et, d'une certaine façon, vous a beaucoup influencé vous aussi.

1. *Le Périple d'Ulysse*, Paris, Fayard, 2003.

J'ai connu Gernet[1] en 1958, à la première conférence de presse du Comité Audin qu'il présidait. Cet ancien doyen de la faculté des lettres d'Alger, qui avait eu Camus comme élève, a dit : « Il y a aujourd'hui une affaire Audin comme il y eut jadis une affaire Dreyfus. » Et quand je lui ai apporté mon livre sur *L'Affaire Audin*, il en a fait le seul compte rendu extrêmement intelligent qui ait jamais été fait. Gernet était un homme qui avait passé sa vie à traduire. À côté, il avait une œuvre anthropologique considérable : philologue, helléniste et sociologue, son savoir était immense.

Il a fait une étude magnifique sur les *Lois* de Platon et le droit positif. Il faut voir comment Gernet a été traité par les hellénistes. Pendant une année, il a été président de l'Association des Études grecques, et au cours du discours annuel – nous sommes pendant la guerre d'Algérie – il a dit : « Je crois que nous sommes menacés par bien d'autres choses que par une diminution des horaires de grec, nous sommes menacés par un retour à la barbarie. » C'était

1. Philosophe et sociologue, helléniste et historien, Louis Gernet appartient à la génération de Mauss et de Granet. Il a profondément renouvelé les études anciennes en y introduisant les apports de l'anthropologie historique (*Recherches sur le développement de la pensée juridique et morale en Grèce*, rééd. 2001 ; *Anthropologie de la Grèce antique*, 1995).

une allusion absolument évidente à la torture pratiquée pendant la guerre d'Algérie ; or la plupart des hellénistes l'ont entendu comme une allusion à la déperdition des études grecques...

Quand j'ai demandé à Jean-Pierre Vernant de rassembler ses différents articles pour en faire un livre, *Mythe et pensée chez les Grecs : études de psychologie historique*[1], ce fut un succès considérable.

C'est encore un combat de gagné.

Incontestablement. On n'imaginait pas jusqu'alors qu'un livre traitant de la Grèce puisse se vendre, surtout que j'ai exigé que le grec soit écrit en grec.

Claude Lévi-Strauss, lui aussi, a exercé une influence considérable sur vous.

En effet, pendant l'été de 1965, j'ai dévoré toute son œuvre dont je ne connaissais jusque-là que *Tristes Tropiques*. Je me mis à penser et presque à rêver en termes d'analyse

1. Paris, Maspero, 1965, rééd. La Découverte, 1996.

structurale, en termes lévi-straussiens. C'est ainsi que je ne pouvais plus voir mon fils aîné sans l'imaginer en chasseur noir..., et, en 1967, j'ai écrit un article intitulé « Le chasseur noir et l'origine de l'éphébie athénienne ». Dans la mesure où il y a une métaphysique structuraliste, je n'ai jamais été structuraliste, mais dans la mesure où il existe une analyse structurale, je le suis toujours.

Vous avez pourtant écrit : « L'anthropologie structurale est une de ces méta-histoires, une des tentations de l'historien, une des plus provocantes et des plus stimulantes. » Vous semblez donc faire des réserves sur l'analyse structurale ?

Ce n'est pas du tout la conséquence d'une querelle quelconque. Mais, à un certain moment, les gens ne faisaient plus que du Lévi-Strauss. J'ai trouvé qu'on allait trop loin, et j'ai essayé de rappeler que la diversité historique, la *poikilia*, existait quand même.

Vous vous référez aussi, assez souvent, aux travaux d'Henri Jeanmaire. Quelle place occupe-t-il dans les études grecques ?

Henri Jeanmaire a eu un destin tragique. Il avait beaucoup travaillé sur l'anthropologie. Dans son livre magnifique, *Couroi et Courètes : essai sur l'éducation spartiate et sur les rites d'adolescence dans l'Antiquité hellénique*[1], il a inauguré en quelque sorte les recherches sur les classes d'âge dans l'Antiquité gréco-romaine. D'une certaine manière, *Le Chasseur noir* est un peu aussi un enfant de Jeanmaire. Il a écrit, de plus, une très belle étude sur Dionysos[2], et une autre sur la *Quatrième Bucolique* de Virgile[3]. Jeanmaire a vécu dans un isolement absolument total. Un jour, il est rentré chez lui et il s'est pendu. Paul Faure, à qui je racontais cette histoire, m'a répondu : « Le malheureux, il n'avait donc pas de religion ! »

Jeanmaire n'était pas maltraité, mais il vivait à part. Le fait d'avoir comparé à longueur de pages les pratiques d'initiation spartiate avec celles des Africains, ça laissait les hellénistes absolument de marbre, alors que pour nous ce fut décisif.

---

1. Lille, Bibliothèque universitaire, 1939.
2. *Dionysos : histoire du culte de Bacchus, l'orgiasme dans l'Antiquité et les temps modernes, origine du théâtre en Grèce, orphisme et mystique dionysiaque*, Paris, Payot, 1978.
3. *Le Messianisme de Virgile*, Paris, Vrin, 1930.

La rencontre avec Jean-Pierre Vernant est un tournant capital dans votre vie.

Oui. J'ai suivi ses cours pendant toute l'année 1960-1961, et j'ai entendu le premier exposé d'analyse structurale qu'il ait fait – son étude sur Hestia et Hermès. C'était une révolution, une façon absolument neuve d'aborder le monde grec... En revanche, je n'ai pas suivi les cours d'Ignace Meyerson, dont Vernant était l'élève. Vernant avait deux maîtres : le psychologue Meyerson [1] et Gernet.

À l'exception de Detienne qui avait une formation de philologue classique, les gens qui gravitaient autour de lui n'étaient pas des antiquisants. Vernant était un philosophe qui s'intéressait à la psychologie et il y avait autour de lui des linguistes, il y avait moi qui étais historien, Jean-Paul Brisson qui était latiniste, c'était un milieu qui n'était pas composé d'hellénistes professionnels.

Avec Vernant, c'était la rencontre de la philosophie avec l'anthropologie, mais il n'éprouvait pas le besoin de l'annoncer ainsi.

---

1. Ignace Meyerson (1888-1983), fondateur de la psychologie historique comparative et directeur-animateur durant 62 ans du *Journal de psychologie historique comparative*, a fait pénétrer le champ de la psychologie dans toutes les sciences humaines: histoire, histoire des religions, histoire des institutions, sociologie, linguistique, arts...

Au début des années 1960, avec Vernant, vous découvrez l'anthropologie historique que vous allez vous appliquer à faire entrer dans les études grecques.

Le tournant de l'anthropologie et de la psychologie historique est venu avec Jean-Pierre Vernant. Je l'avais rencontré, grâce à Robert Francès, dès 1956. En 1960, j'ai été suspendu à l'Université de Caen, parce que j'avais signé le « Manifeste des 121 », dit aussi « Déclaration sur le droit à l'insoumission dans la guerre d'Algérie », daté du 6 septembre 1960. Les séminaires de Vernant avaient lieu le lundi après-midi. Avant, je ne pouvais pas y aller parce que je préparais mes cours pour le mercredi et le jeudi à Caen, et cela demandait du travail. Ma « suspension » m'a permis d'aller chez Vernant le lundi. Je me suis tout à coup trouvé là dans un univers où je me sentais tout à fait à l'aise. Vernant a du génie – ce n'est pas un érudit. Moi j'étais plutôt plus érudit que lui, parce que j'avais cette formation un peu philologique. J'étais foudroyé par Vernant, par son immense éloquence. C'est l'orateur le plus prodigieux que j'aie jamais entendu. Je l'aie souvent résumé par une phrase de Valéry qu'il n'aime pas, mais que moi j'aime bien, et qui est tirée de « *Mon Faust* ». Dans la première partie, *Lust*, sous-titrée *La Demoiselle de cristal*, le Disciple dit à Faust :

> « On dirait que jamais la parole ne manque à vos pensées, et que, toujours pure, toujours armée de ce qu'il faut de rigueur, soutenue de ce qu'il faut d'harmonie pour exciter et contraindre les esprits à la jouissance des forces et des clartés qu'ils possédaient sans le savoir, cette héroïque parole ne s'en prenne jamais qu'à l'inexprimable, et le réduise toujours à ses desseins[1]... »

Pour moi, Vernant, c'était ça. Ce n'est pas pour lui que j'ai trouvé cette phrase, puisque je l'ai citée dans un devoir de philo en khâgne. Mais ça me paraissait une définition qui s'appliquait bien à lui, notamment à cause de ses reprises qui avaient quelque chose d'absolument génial, parce qu'on avait l'impression qu'il vous rendait tout à coup intelligent. C'est ça, les grands profs : ce ne sont pas les gens qui paraissent eux-mêmes intelligents, mais ceux qui vous rendent, vous, intelligent.

1. « *Mon Faust* », Acte II, scène 1, in *Œuvres complètes*, vol. 2, Paris, Gallimard, « La Pléiade », 1957, p. 313.

On ne pourrait plus imaginer maintenant faire du grec ou des études anciennes sans ce que vous avez apporté, même si on n'adhère pas à toutes vos analyses.

Je crois que nous avons gagné. Ce qui a beaucoup choqué François Chamoux – une autre de mes têtes de Turc, hermétiquement fermé à ce qui n'est pas « grec » –, c'est que Vernant soit au Collège de France : « Malheureusement, il est au Collège de France, et cela lui donne une influence qu'il ne mérite absolument pas », regrettait-il. C'est lui aussi qui a pu me dire cette phrase sidérante : « Lévi-Strauss, Vernant, Dumézil, c'est du vent ! »

Ce qui nous a caractérisés, Jean-Pierre Vernant et moi, c'est que nous sommes allés nous battre sur le terrain traditionnellement réservé aux hellénistes académiques. Une année, Vernant a même présidé l'Association des Études grecques, et m'a invité à parler devant eux. C'était chaque fois un spectacle extraordinaire : il y avait au premier rang une série de vieux messieurs – Robert Flacelière, Pierre Boyancé, Fernand Robert, etc. – et, derrière, le *vulgum pecus*. Le malheur, c'est que quand nous parlions, Vernant ou moi, il y avait beaucoup plus de monde ! Ça les rendait enragés. Et *Le Chasseur noir* a été accueilli par un silence de mort ; alors que lorsque je l'ai présenté en Angleterre, ce fut tout différent.

Mais qu'est-ce qui les rendait « enragés » ?

Ce que ne nous ont pas pardonné les hellénistes traditionnels, c'est d'avoir écrit des livres qui se vendaient et qui se lisaient. En effet, nous avons essayé d'être lisibles ! Eux considèrent qu'ils écrivent pour cinquante personnes. Par exemple, Louis Robert, un exceptionnel épigraphiste et un immense savant, n'admettait pas que nous soyons lus des non-spécialistes. La collection « Textes à l'appui », série « Histoire classique », lancée chez Maspero [1], avait été précisément créée pour toucher le plus grand nombre. On a eu l'impression de s'engouffrer dans une brèche, parce que ces livres se sont vendus. Quand *Le Chasseur noir* est paru, Henri Van Effenterre a proposé aux Études grecques qu'il ait un prix. Louis Robert est alors entré en fureur en disant : « Rendez-vous compte, on ne parle déjà que d'eux et vous voulez encore qu'ils aient un prix ! ». Il

1. À la fin de 1959.

peut y avoir quelque chose de justifié dans la colère des hellénistes de cette époque, quand ils disaient : « Ce Vidal-Naquet, on le lit aussi dans *Le Monde* ! » C'est vrai que cela facilitait les comptes rendus de mes propres livres… C'était impardonnable.

Qu'est-ce qui était impardonnable : écrire sur l'histoire contemporaine en même temps que sur l'histoire grecque, ou écrire ce que vous écriviez en histoire contemporaine ?

Les deux ! André Aymard est le seul, avec Marrou, à m'avoir dit quelques mots sur la campagne autour de Maurice Audin. Ce que les gens de la Sorbonne ont eu beaucoup de mal à comprendre, c'est qu'un livre comme *La Raison d'État*[1] était aussi un livre d'historien.

Dans votre génération, il y a pourtant eu des historiens de l'Antiquité qui s'étaient engagés dans les mêmes combats.

Oui, par exemple Claude Mossé. Il y a une histoire amusante parce que l'un de mes premiers articles paru

1. Paris, Minuit, 1962 – Textes publiés par le Comité Maurice Audin.

dans les *Annales* était un compte rendu particulièrement vachard de la thèse de Claude Mossé, tellement vachard que Braudel m'a prié de le rendre un peu plus doux. Et Claude Mossé ne m'en a absolument pas voulu, c'est une chose tout à fait étonnante. Elle m'a écrit : « Je ne vais pas vous donner une leçon de marxisme élémentaire. » Comme elle ne m'en a jamais tenu rigueur, je suis devenu, du coup, incapable de lui faire la moindre critique.

Elle a apporté des choses très intéressantes, en particulier c'est à elle que je dois une comparaison que j'ai creusée énormément depuis, mais qu'elle avait été la première à éclairer : l'opposition entre l'esclavage marchandise et l'esclavage de type hilotique, attaché à la terre, si je puis dire. Dans cet article sur les révoltes serviles [1], elle montre qu'il y a une différence de nature entre les révoltes des esclaves qui cherchent simplement à récupérer leur liberté, comme les esclaves athéniens qui s'enfuient au moment de la chute d'Athènes, et les esclaves qui veulent récupérer leur « identité » politique, comme les hilotes. Et ça, c'est à Claude Mossé que je le dois. Et depuis longtemps, elle est

1. « Le rôle des esclaves dans les troubles politiques du monde grec à la fin de l'époque classique », *Cahiers d'histoire*, 6, 1961.

vraiment devenue une amie très chère, c'est une personne tout à fait exquise.

Elle vient d'une grande famille du Comtat Venaissin. Nous avons un jour trouvé un ancêtre commun, qui s'appelait Isaïe Vidal-Naquet, qui est né Isaïe Naquet et mort Isaïe Vidal-Naquet. Elle est sa descendante par un de ses fils, qui s'appelait Jonathan, moi par un autre, qui s'appelait Samuel. Je me rappelle toujours quand on a identifié notre parenté et que je lui ai donné un portrait représentant son aïeul, Jonathan Vidal-Naquet.

Il y a eu, pendant un temps, un véritable compagnonnage entre Jean-Pierre Vernant, Marcel Detienne, et vous.

Le problème de Detienne, c'est qu'il a passé son temps à avoir des pères et à les tuer successivement. Alors il a tué son père Boyancé, il a tué son père Lévi-Strauss, il a tué son père Vernant, il a tué son frère Vidal-Naquet... C'est un type extraordinaire, qui pouvait rassembler et lire tout ce qu'on pouvait imaginer sur un bonhomme, par exemple sur Orphée, avoir largement de quoi en faire un livre, puis, brusquement, changeait d'avis, disant que tout cela était sans intérêt, et se mettait à publier *L'Invention de la mytho-*

logie [1]... comme si les Grecs n'avaient pas eu de mythologie, comme si c'était une invention du XVIIIe siècle !

Comment expliquez-vous cela ?

Je l'explique par un tempérament tout ce qu'il y a de bizarre. Detienne n'a jamais rien compris à l'histoire, ça ne l'intéresse d'ailleurs pas.

Dans *Les Maîtres de vérité dans la Grèce archaïque* [2], livre que j'ai d'ailleurs préfacé, il oublie de parler des historiens : il ne nomme pas Hérodote, pas davantage Hécatée de Milet, parmi les maîtres de vérité, alors qu'Hécatée de Milet commence par ces mots : « J'écris ici ce que je crois être vrai, car les paroles des Grecs sont à mon avis nombreuses et ridicules. » Texte absolument magnifique, dont on aimerait bien connaître la suite. Plus tard, quand il s'est senti « libre », il a fait un livre, qui m'a indigné, *Comparer l'incomparable* [3], dans lequel il assassine Vernant et Finley. Il a attendu un autre article paru dans *L'Homme* pour me chercher des poux dans la tête.

---

1. Paris, Gallimard, 1992.
2. Paris, Maspero, 1990.
3. Paris, Le Seuil, 2000.

J'avais dit que je ne pensais pas que comparer des Grecs à des pêcheurs de saumon était quelque chose de pertinent, alors que lui pensait que les Grecs et les pêcheurs de saumon, ça pouvait marcher ensemble...

Quels sont les travaux qui, aujourd'hui, s'inscrivent dans les prolongements de votre œuvre ?

Ceux d'Alain Schnapp, sans aucun doute. *Le Chasseur et la cité*[1], c'est à la fois ce que je souhaitais que cela soit, c'est-à-dire une étude archéologique sur la chasse grecque, et un prolongement tout à fait passionnant de mon travail. Il a aussi écrit une histoire de l'archéologie remarquable, dans laquelle je ne lui ai fait qu'un reproche, c'est d'avoir oublié l'Atlantide !

Avec Alain Schnapp, François Hartog et Pauline Schmitt, il me faut signaler Nicole Loraux : c'est la meilleure élève que j'aie jamais eue. Aucune n'était aussi déterminée ; elle a joué un rôle tout à fait important dans le développement du champ des études grecques dans les années 1980-1995. Quand je l'ai présentée à l'EHESS,

1. *Le Chasseur et la cité : chasse et érotique en Grèce ancienne*, Paris, Albin Michel, 1997.

j'ai dit : « Nous sommes trois mousquetaires, donnez-nous un d'Artagnan. » Elle aurait pu être la nouvelle Jacqueline de Romilly, mais elle a préféré être Nicole Loraux... et d'Artagnan. C'était un esprit extraordinaire. *La Cité divisée : l'oubli dans la mémoire d'Athènes*[1] est un très grand livre, le plus important je crois.

Dans le champ des études anciennes, il n'y a pas que la Sorbonne et Vernant et ses « enfants ».

En dehors de notre école, dite de Paris, il y a trois lieux où l'on a fait de l'histoire grecque : l'une c'est Nancy, avec Edouard Will, l'autre, c'est Besançon où a longtemps enseigné Pierre Lévêque, la troisième, c'est en Bretagne avec Yvon Garlan.

Et pour l'histoire romaine ?

Celui qui domine tout, c'est Claude Nicolet, Comme moi, il fait des allers et retours, entre l'histoire contemporaine et l'histoire romaine. Il a, en outre, eu une action

1. Paris, Payot, 1997, rééd. Payot & Rivages, 2005.

politique directe au cabinet de Pierre Mendès France, qui d'ailleurs assista à sa soutenance de thèse. Nicolet est un vieil ami, nous nous sommes connus à Marseille ; il est l'historien de Rome qui compte dans ma génération.

Et Paul Veyne ?

Je trouve que son meilleur livre est le dernier, sur *L'Empire gréco-romain* [1] ; il y a aussi les admirables articles qu'il a écrits sur Pétrone. En tant que théoricien de l'histoire, il me convainc moins, notamment dans *Les Grecs ont-ils cru à leurs mythes* [2] ? Le problème avec Veyne, qui est un ancien camarade, c'est qu'on ne sait jamais quand il est sérieux. Mais il a quand même un brin de génie.

La tragédie

Une partie importante de votre travail a porté sur la tragédie grecque, que vous avez notamment explorée avec Jean-Pierre Vernant dans les deux volumes que vous avez cosignés : Mythe et tragédie en Grèce ancienne *I et II.*

---

1. Paris, Le Seuil, 2005.
2. *Essai sur l'imagination constituante*, Paris, Le Seuil, 1985.

Le noyau de mon travail, c'est la tragédie. Dès l'âge de seize ans, d'ailleurs, j'avais décidé qu'un jour j'écrirai un livre sur la tragédie. Et j'ai commencé à en écrire une, que j'ai appelée « L'Attente », en pensant bien évidemment à mes parents dont j'espérais encore le retour. J'en ai écrit un acte et je l'ai montré à mon mentor favori, mon cousin Jacques Brunschwig, qui m'a dit : « L'attente, ce n'est pas un thème de la tragédie » ; en quoi il avait parfaitement raison.

J'étais certain que j'écrirai sur la tragédie. Je connaissais *Phèdre* par cœur. En fait, c'est arrivé lorsque j'ai commencé, pour mon enseignement à l'EHESS, à chercher des images de chasse dans l'*Orestie* qui en est remplie. Vernant m'a conseillé de regarder les rapports entre chasse et sacrifice, et cette idée a été un trait de lumière. Les deux thèmes fonctionnent ensemble. On ne peut pas sacrifier de viande chassée sinon en transgressant. Jean-Pierre Vernant m'avait fait connaître les travaux de Froma Zeitlin[1] qui avait fait une série sur le thème du mauvais sacrifice dans la tragédie grecque. J'ai ainsi réuni ma chasse et son sacrifice, et ça a donné « Chasse et sacrifice dans l'*Orestie* d'Eschyle ».

1. « The Motif of the Corrupted Sacrifice in Aeschylus' *Oresteia* », *Transactions of the American Philological Association* (1965).

Ensuite, je suis tombé sur le *Philoctète*, et j'ai adapté le thème du chasseur noir au *Philoctète*. Le plus extraordinaire, c'est que je n'avais pas vu quelque chose qui, bien des années après, m'a sauté aux yeux, c'est à-dire que le nom du héros de la pièce, Néoptolème, veut dire « nouvelle ou jeune façon de faire la guerre ». Par conséquent, le thème de l'éphèbe se trouvait déjà dans ce nom.

De la tragédie grecque, vous avez toujours cherché à comprendre ce qu'elle disait de la vie de la cité, du politique en général.

En effet, et d'une certaine manière, ce qui, à mes yeux, fait écho à la tragédie athénienne, n'est pas telle ou telle pièce de théâtre, mais bien cette série de représentations politiques à l'usage des masses que furent les procès de Moscou dans les années 1936-1938 ou de Budapest, Sofia et Prague, sans oublier Tirana, à la fin des années 1940 et au début des années 1950.

La différence avec la scène grecque est évidente, car ces procès se terminent par une balle dans la nuque ou une corde autour du cou. Mais où est la ressemblance ? Il s'agit de grands personnages de l'État que l'on montre au peuple et que l'on brise. La dimension théâtrale est manifeste.

Dans la tragédie d'Euripide, par exemple, on peut, selon vous, lire une partie de l'histoire d'Athènes au Ve siècle.

Oui, parce que la cité grecque est un ordre humain qui a ses propres dieux, partagés pour une part avec ceux des autres cités, avec lesquels elle communique par l'intermédiaire du sacrifice. La cité est plusieurs choses à la fois : un espace sur la terre cultivée ayant, à ses frontières, la montagne ou le désert, où s'entraîne l'éphèbe ; elle est un temps fondé sur la permanence des magistratures et le renouvellement des magistrats ; elle est un ordre sexuel reposant sur la domination politique des mâles et l'exclusion provisoire des jeunes ; elle est un ordre politique dans lequel s'insère plus ou moins facilement l'ordre familial ; elle est un ordre grec qui exclut les barbares et limite la présence des étrangers, même grecs ; elle est un ordre militaire où les hoplites l'emportent sur les archers, les troupes légères et même la cavalerie ; elle est aussi un ordre social fondé sur l'exploitation des esclaves. C'est la combinaison, l'action réciproque de ces inclusions et de ces exclusions qui constitute l'ordre civique. Inversement, l'ordre – ou le désordre – tragique met en question ce que dit et croit la cité. Il conteste, déforme, renouvelle, interroge, un peu comme le rêve, selon Freud, procède avec la réalité. La tragédie, dans son essence même, c'est le passage à la limite.

Autrement dit, il ne faut pas chercher à voir dans la tragédie un miroir de la cité ; ou, plus exactement, si l'on veut garder l'image d'un miroir, ce miroir est brisé et chaque éclat renvoie tout à la fois à telle ou telle réalité sociale et à toutes les autres, en mêlant étroitement les différents codes.

Quand, dans Mythe et tragédie en Grèce ancienne, *Jean-Pierre Vernant parle du « moment historique de la tragédie », ça s'applique complètement à ce que vous avez fait.*

C'est drôle en effet que ce soit Jean-Pierre Vernant qui ait parlé de « moment historique de la tragédie », ç'aurait dû être moi ! Les hellénistes qui ont édité l'*Antigone* de Sophocle, y compris Paul Mazon, n'avaient pas lu Hegel. Or Vernant avait lu Hegel, en particulier *L'Esthétique*, et par conséquent il voyait qu'Antigone n'était pas une vierge pure, que c'était quelqu'un qui était atteint d'*hubris* familiale et non pas d'*hubris* politique comme Créon. Il y avait donc deux personnages tragiques dans *Antigone*.

Cet article de Vernant sur le moment historique de la tragédie a vraiment été capital pour moi. C'est l'idée que l'on va prendre dans le lointain passé un personnage, le mettre sur le devant de la scène, et qu'il va y être brisé. Comment les héros de l'épopée vont être jugés par l'*ecclesia*, ou plutôt par la *boulê* davantage représentée dans la tragédie. Projeter sur la scène contemporaine des personnages des temps reculés... Avec cette particularité que c'est le héros qui parle la langue de tous les jours, à la limite du prosaïsme, alors que le chœur parle une langue spéciale, truffée d'éolismes ou de dorismes. Le chœur est censé être collectif. Le héros, individuel, parle la langue de tout le monde, et le chœur, collectif, parle une langue savante. C'est une sorte de renversement par rapport à la réalité, ce que j'ai appelé le « miroir brisé [1] ».

---

1. *Le Miroir brisé : tragédie athénienne et politique*, Paris, Les Belles Lettres, 2002.

Des héros de la tragédie que vous avez étudiés, lequel est le plus « tragique » selon vous ?

Ajax, je pense ; le héros que l'on peut voir aussi sur ce vase de Bâle avec son épée plantée dans le sol ... *Ajax* est la pièce tragique par excellence ; l'application la plus parfaite de la règle qui veut que la tragédie soit une lecture civique du mythe, et plus précisément de l'épopée.

Ce sont en effet les qualificatifs réservés au héros dans l'épopée qui sont évoqués par Sophocle : grand, solitaire, valeureux, impétueux, resplendissant, etc.

Oui, c'est le « monstrueux » Ajax, le rempart des Achéens, qui est sur la scène. Il est le plus brave des Achéens, après Achille, et c'est un thème directement emprunté à l'*Iliade.* Tout un aspect de la pièce tourne autour de la polarité fixité/mobilité : l'épée, instrument de meurtre et de suicide, fichée en terre, immobile comme Ajax lui-même dans une cité qui bouge, et le bouclier, instrument de défense, qui circule puisqu'il va en héritage à Eurysakès, le fils d'Ajax. Dans sa volonté de permanence, son refus d'accepter le changement, les renversements d'alliances entre cités, Ajax incarne le refus absolu du politique.

L'Atlantide

Dans l'Atlantide, vous avez, pourrait-on dire, résumé votre œuvre aussi bien du point de vue des méthodes que vous employez que du point de vue des thèmes et des questionnements que vous suivez. Vous essayez de lire, derrière le texte de Platon, les oppositions, les polarités, le texte qui est caché.

Écoutez, il y a deux livres dans lesquels je me suis en quelque sorte réunifié. Le premier, c'est *Le Trait empoisonné,* et le deuxième, c'est *L'Atlantide.* Dans Le *Trait empoisonné,* j'étudie ce qu'on a appelé l'affaire Jean Moulin, en partant de trois mille ans avant Jésus-Christ, la sacralisation d'Imhotep, en Égypte. Qu'est-ce que c'est qu'un héros, qu'est-ce que c'est qu'un saint, est-ce que nous avons besoin aujourd'hui encore de héros et de saints... Ça a beaucoup choqué une partie de mes lecteurs, ils m'ont dit : « Ta démonstration est absolument irréfutable en ce qui concerne Jean Moulin, mais tu n'avais pas besoin de faire ce long détour par l'histoire ancienne. » J'estime au contraire que j'en avais tout à fait besoin et que si je voulais que ce livre soit intéressant, il fallait partit d'Imhotep et de Gilgamesh. L'autre livre, c'est *L'Atlantide*. C'est une longue histoire qui a commencé lorsque mon cousin germain Jacques Brunschwig m'a fait lire le début du *Timée*. Ce que dit le prêtre de Saïs à Solon : « Ah ! Solon, Solon, vous autres Grecs, vous êtes d'éternels enfants, et un Grec n'est jamais vieux. » C'est absolument superbe, et ça a fait un premier tilt. Et puis il y a eu un deuxième tilt, lorsque j'ai étudié dans mon diplôme d'études supérieures la conception platonicienne de l'histoire où naturellement je parlais de l'Atlantide. Le problème était que Platon était l'esprit le plus anti-historique qui soit, c'était vraiment l'ennemi de Thucydide. On ne peut pas comprendre le *Ménéxène* si on ne le lit pas comme une satire de l'oraison funèbre de Périclès, à ceci près que cette oraison funèbre de Périclès, Platon la place dans la bouche d'Aspasie, ce qui n'est pas un compliment de sa part. Ce sont des choses que Nicole Loraux a très bien comprises et analysées dans son *Invention d'Athènes*[1].

À côté de cela, il y a eu en 1956 à Orléans une conférence de Fernand Robert sur l'Atlantide à laquelle j'ai

1. Rééd. Payot, 1993.

assisté. Et ça m'a amusé parce que les gens du Centre Budé d'Orléans m'ont invité à faire un exposé sur le même sujet, cinquante ans après au jour près. Dans sa conférence, Fernand Robert était resté prudent, il disait que ce qui ressemblait le plus à l'Atlantide, c'était la Crète de Minos. À la sortie, je lui ai dit : « J'ai une autre opinion, pour moi, l'Atlantide, c'est Athènes. » Cela m'a décidé à faire un topo aux Études grecques : comme c'est une institution qui marche lentement et que moi-même je ne suis pas un marcheur rapide, cet exposé s'est fait en 1964 et a été publié la même année dans la *Revue des études grecques*. C'est la démonstration que l'Atlantide était identique à l'Athènes impérialiste.

Vous montrez que, depuis en gros –355, date de la composition du Timée *et du* Critias *de Platon, jusqu'au milieu du XXᵉ siècle, avec la dictature nazie, ce mythe a servi d'habillage à plusieurs formes de nationalisme.*

Il y a deux niveaux dans ce livre : une interprétation du récit de Platon et le décorticage d'un mythe. Je pense que l'Atlantide, c'est Athènes, Athènes impérialiste, et il y a quelqu'un qui l'a vu bien avant moi, c'était un homme du XVIIIe siècle, Bartoli, un Piémontais, qui écrivait en français pour le compte du roi de Suède. Pour écrire ce livre, j'ai dû dévorer toute une littérature antique, médiévale, moderne, et j'ai essayé de classifier tout cela en allant jusqu'à nos jours, et en particulier jusqu'à l'utilisation du mythe par l'Allemagne nazie ; mais aussi par les ennemis de l'Allemagne nazie, puisqu'un opéra, qui s'appelle *Der Kaiser von Atlantis*, a pu être écrit et achevé en 1944 dans un camp de concentration, dans le ghetto modèle de Theresienstadt, par deux Juifs d'expression allemande qui étaient nés en Tchécoslovaquie, Peter Kien et Viktor Ullmann, tous deux disparus à Auschwitz en 1944. « *L'Empereur de l'Atlantide* » avait parfaitement compris ce que dit Hitler : « Nous autres Allemands, nous avons tous été un peu Atlantes sur les bords », et l'Atlantide est là comme symbole d'un État totalitaire.

L'autre chose que j'avais comprise tout de suite, que j'ai été le premier, je crois, à comprendre, ça apparaît dès mon article de 1964, c'est que le récit de cette guerre d'Athènes contre les Atlantes était un pastiche d'Hérodote : Platon la raconte comme s'il s'agissait des guerres médiques.

Bien entendu, dès le début, j'ai vu qu'il y avait plusieurs aspects dans le développement de ce mythe ; il y avait un aspect cosmologique, ceux qui estimaient que l'Atlantide permettait de comprendre les origines du monde ; il y avait un aspect anti-chrétien, celui qui sera développé par les nazis, un aspect anti-chrétien et aussi anti-juif, parce que l'Atlantide permettait de se débarrasser des origines juives. Il s'était d'ailleurs produit aux IIe et IIIe siècles de notre ère un événement très important : les hommes avaient cessé de descendre de Zeus, pour descendre d'Abraham, ce qui a abouti à une conception de l'histoire qui va régner d'Eusèbe à Bossuet, l'apogée étant le *Discours sur l'histoire universelle* de Bossuet. D'Eusèbe à Bossuet, il y aura une sorte de permanence d'une historiographie où le peuple juif est au centre de l'histoire, où c'est lui qui détermine la loi de l'histoire.

Ce que je voulais montrer, c'était comment l'Atlantide avait servi à laïciser l'histoire du monde. Elle ne servait pas qu'à la laïciser, elle servait aussi à la déjudaïser, avec bien sûr la tentation nationaliste, puisque chacun voulait avoir des origines atlantes. J'en ai conclu que l'atlanto-nationalisme est un phénomène extrêmement répandu, qu'il y en avait en Allemagne, en Espagne, le cas extrême étant celui de la Suède, avec Rudbeck. Dans son *Atlantica*, publiée entre 1679 et 1702, Rudbeck, recteur de l'université d'Uppsala, veut montrer que l'Atlantide est le siège et la patrie de l'authentique postérité de Japhet, le fils de Noé... et que ce siège se confond avec la Suède !

Alors je n'ai pas fait que fondre ces articles en un volume, j'ai vraiment voulu écrire un livre, et comme je n'en ai pas écrit tellement, de vrais livres j'entends, celui-là est cher à mon cœur. Ce livre a donné ma dimension grecque – parce que c'était quand même une étude directe sur le texte grec au début –, ma dimension histoire de l'histoire, et enfin ma dimension poétique.

C'est sur des vers de Baudelaire que vous terminez cette étude dans laquelle vous avez voulu « rendre le mythe à l'image et à la poésie, après en avoir désossé l'histoire ».

J'espère que j'écrirai d'autres livres, mais là j'ai l'impression que ça a donné une sorte de sceau à l'ensemble de mon œuvre, je l'ai écrit comme si c'était mon dernier livre.

Parmi les multiples questions que vous soulevez dans ce livre, la principale est sans doute de savoir quelle lecture un historien peut faire d'un mythe ?

Oui, l'impérialisme est un peu le fil conducteur de toute cette affaire. Tout récemment, un de mes cousins par alliance m'a téléphoné pour me demander de faire un exposé chez les francs-maçons, sur « À quoi servent les mythes ? ». Je ne pouvais pas lui promettre mieux que de reprendre ce que j'avais fait sur l'Atlantide, que j'ai présenté aussi aux polytechniciens.

Mais comment parler du rapport entre Platon et le monde hébraïque ? « Platon est un Moïse qui parle attique », dit Numénius d'Apamée au IIe siècle.

Cette mythologie est là, parce que, à un moment, l'Atlantide a été obligée de changer de sens : ce qui est extrêmement étrange, c'est que l'Atlantide est un mythe négatif, une utopie négative. Je n'ai pas été le seul à le comprendre, grâce au ciel ; c'est une utopie négative qui a été transformée en utopie positive. Il fallait n'avoir rien compris au texte de Platon pour y voir un pays paradisiaque comme on l'a fait.

Oui, parce que, par exemple dans Le Chasseur noir, *quand vous dites que la notion d'hellénisme est une notion culturelle, avec* L'Atlantide *on a affaire à autre chose, parce qu'encore une fois le monde juif, le monde hébraïque, ce n'est pas seulement une construction culturelle.*

Il y a deux moments clés : il y a le moment où le monde devient chrétien, c'est-à-dire juif, et il y a le moment de la Renaissance. Alors au moment où le monde devient chrétien, c'est-à-dire juif, il est évident que l'on ne peut pas jeter aux orties tout ce qui a été acquis par la culture grecque, et le mieux est de le faire servir, et de dire que Platon est un Moïse qui parle attique. Bon. C'est ce que font aussi à leur façon Eusèbe de Césarée et quelques autres personnages. L'autre moment, c'est la Renaissance avec, d'une part la redécouverte de Platon, le Platon complet de Marsile Ficin, en 1496, une très grande date, et, d'autre part, 1492, la découverte de l'Amérique. Qu'est-ce qu'on pouvait faire de l'Amérique ? On y trouve des hommes : ou bien on en faisait des Atlantes, ou bien on en faisait des Juifs d'Israël... et c'était le mythe des dix tribus. Mais il faut bien voir que les penseurs de l'époque avaient une double culture : gréco-latine et biblique. Christophe Colomb ne voulait pas du tout découvrir l'Atlantide, mais il n'empêche qu'il avait amené avec lui un interprète d'hébreu – ça c'est une chose extraordinaire ! On pouvait aussi faire de ces populations américaines des non-hommes, certains d'ailleurs ont été tentés de justifier l'esclavage en disant que ces gens n'étaient pas des hommes. Descendaient-ils d'Adam ? Giuliano Gliozzi l'a très bien étudié dans *Adamo e il nuovo mundo*, un livre absolument fondamental.

Et s'il y a un autre ancien pour qui la découverte de l'Amérique aurait été essentielle, c'est bien Hérodote, parce qu'Hérodote, précisément, décrivait des barbares. C'est ce qu'a très bien montré Arnaldo Momigliano qui écrit : « Si Hérodote n'a pas inspiré les découvreurs de l'Amérique, les découvreurs de l'Amérique et d'autres pays étrangers ont inspiré les défenseurs d'Hérodote. Il a reconquis sa réputation au cours du XVIe siècle [1]. »

Or ces barbares ressemblaient beaucoup aux tribus indiennes, que l'on a trouvées en Amérique, d'où l'identification : d'où l'*Apologie pour Hérodote* d'Estienne, d'où Montaigne, d'où les Espagnols, etc. En dehors de l'unification microbienne de la planète sur laquelle les historiens

1. *Problèmes d'historiographie ancienne et moderne*, Paris, Gallimard, 1983, p. 181.

insistent à juste raison puisque cela a été une catastrophe pour ces pays d'être en contact avec la variole et autres plaisanteries, il y a eu une unification cosmique, dont on a essayé de tirer leçon. Et ça donnait des choses comme les écrits du père Lafitau [1] qui a décrit « la vie et les mœurs des sauvages américains », sur lesquels j'ai aussi beaucoup travaillé.

Au fond, il s'agissait de changer d'ancêtres. Il fallait trouver un ancêtre non juif.

Oui. Pensez à ce personnage étonnant, l'homme des Pré-adamites (1655), Isaac La Peyrère, dont on cite toujours, à faux d'ailleurs, l'épitaphe (mal recopiée par Poliakov).

« La Peyrère ici gît, ce bon Israélite,
huguenot, catholique, enfin préadamite.
Quatre religions lui plurent à la fois,
et son indifférence était si peu commune
qu'après quatre-vingts ans qu'il eut à faire un choix,
le bonhomme partit et n'en choisit pas une. »

---

1. *Mœurs des sauvages américains comparées aux mœurs des premiers temps [1724]*, Paris, Maspero, 1982.

Ce type d'imagination scientifique peut servir parce que je ne savais pas du tout que La Peyrère avait parlé de l'Atlantide, aucun des commentaires des livres que j'ai lus sur La Peyrère ne le mentionne. Mais en allant directement au texte, j'ai trouvé qu'il parlait de l'Atlantide. Il ne pouvait pas ne pas en parler puisqu'il considérait qu'Adam n'était pas le premier homme, mais le premier Juif. C'est là où il a fait scandale.

Quelles sont les réactions à la réception de votre Atlantide ?

Quand j'ai envoyé l'article de 1964, qui est le noyau de cette étude, à Georges Dumézil, il m'a répondu : « Je vous souhaite bonne chance parmi les hellénistes ! », ce qui montre qu'il ne se faisait pas d'illusions... Il y a surtout une lettre magnifique de Claude Lévi-Strauss [1], c'est vraiment une des plus belles lettres que j'ai reçues de ma vie. Je vous la lis :

« Cher collègue, la lecture de votre Atlantide est de bout en bout passionnante, nourrie par une érudition prodi-

1. Lettre du 21 février 2005 communiquée par Pierre Vidal-Naquet.

gieuse, mais cela n'étonne pas de votre part, cette histoire d'un mythe renouvelle le sujet, car elle ne montre pas comment meurent les mythes, ce qui est en général leur sort, mais comment parfois ils survivent, et même prospèrent, en se transformant. Cela fait réfléchir et, pour ma part, j'en ai tiré grand profit. En vous remerciant, je vous prie cher collègue, de me croire très admirativement et cordialement vôtre. » Magnifique !

Mais il y a sans doute aussi des critiques ?

En effet, et il est intéressant aussi d'avoir les lettres des fous. Il y a par exemple un brave garçon, qui a une maison en Crète et qui m'écrit ceci :

« *Monsieur Vidal-Naquet, s'il y en avait un qui devait sortir quelque chose sur l'Atlantide, même pour en nier l'existence, ce qui fait de toutes façons parler d'elle et de mythe, cela ne pouvait être que vous, celui qui fait la chasse au négationnisme et qui est l'exemplaire type du négationniste historique. Je m'attendais à votre publication pour plusieurs raisons ;* Sciences et Avenir *titrait dans son numéro de janvier 2005 « L'Atlantide refait surface » ; le 26 décembre 2004, de 4 heures 32 à 4 heures 59 j'ai adressé à moult de mes correspondants des mails intitulés « annonce » où j'évoquais le tsunami résultant de l'éruption de Santorin qui a ravagé la côte nord ; depuis lors il était logique et inévitable que l'on parlât de l'Atlantide crétoise et des motifs naturels préalables à sa destruction, ne serait-ce que pour sensibiliser les humains de 2005 aux risques majeurs liés à l'éruption d'un super volcan méditerranéen. Mais rien, des informations sur les tsunamis, des informations sur les plaques tectoniques en mer de Marmara, sur les super volcans aux USA, mais en Méditerranée orientale, rien. Nous savons tous désormais qui sera le coupable des milliers des morts inévitablement à venir lors des prochains tsunamis européens. Vous vous êtes désigné vous-même aujourd'hui.* » Et ça continue ainsi : « *Depuis des décennies, Monsieur Vidal-Naquet, avec les informations de base devenues obsolètes, vous continuez à soutenir la thèse stupide de l'inexistence de l'Atlantide, tous les éléments qui ont contribué à l'élaboration de son mythe par Platon ; car, Monsieur Vidal-Naquet, certes Platon a romancé une histoire, mais tous les détails renvoient à la Crète, une Crète que je connais in situ depuis trente ans où j'ai redécouvert le labyrinthe, où Platon a écrit les Lois et la République. Si vous étiez savant, Monsieur Vidal-Naquet, il y a des années, vous êtes aujourd'hui dépassé et vous serez bientôt, si vous n'évoluez pas, à ranger dans la catégorie des criminels négationnistes. »*

Mais comment concilier quête de la vérité et pluralité des récits ?

Ce n'est pas du tout contradictoire. Par exemple, je crois que mon interprétation de l'Atlantide est plus vraie que l'interprétation qui consiste à dire qu'un astéroïde est tombé sur la terre et a produit des cercles concentriques qui expliquent les « remparts » de la cité des Atlantes ! C'est ce que Lyotard appelait mon vieux fantasme de vérité. Moi, je pense qu'il existe ce qu'on appelle une vérité, et je le crois absolument.

Alors, comme vous le dites dans ce livre : « Platon a inventé la science-fiction » ?

Oui, mais il y a aussi des récits de voyage fabuleux chez les Égyptiens, qui sont très intéressants, et il y a l'histoire de Gilgamesh, qui est magnifique.

Votre prochain livre traitera-t-il plutôt d'histoire ancienne ou plutôt d'histoire contemporaine ?

Je pense que ce sera l'histoire ancienne. Il y a un thème que j'ai esquissé seulement dans le *Miroir brisé*, c'est le thème de la société des dialogues tragiques. Si Dieu me prête vie, je tâcherai d'écrire un livre où je reprendrai tous les personnages de toutes les tragédies conservées, je ne ferai pas ça sur les fragments parce qu'on ne peut pas juger d'un personnage à partir des fragments, et j'essaierai de voir comment ça fonctionne par rapport à la polis grecque. Alors, peut-être que je ferai cela, mais c'est un gros travail ; enfin, si j'écris encore un livre, ce sera celui-là.

Chapitre 5

Mémoire et histoire

« Lorsque, au XIXe siècle, après le grand mouvement d'émancipation, Leopold Zunz, fonde la "science du judaïsme", il la fonde sur des bases que nous dirions aujourd'hui positives, c'est-à-dire entièrement séparées de la mémoire. Tout au long de ce siècle et pendant une large partie du nôtre, mémoire et histoire chemineront en quelque sorte séparément. L'histoire se méfie de la mémoire, elle se bâtit même contre la mémoire, et dans la mesure où la mémoire choisit, élimine, on comprend que cette distinction ait pu paraître radicale. Mais cette séparation est-elle définitive ? Je serai tenté de dire, au contraire, que soixante ans après Proust, il est grand temps d'intégrer la mémoire à l'histoire. Cela ne signifie pas, bien entendu, qu'il faille renoncer à séparer le vrai du faux ; cela signifie simplement que l'homme

ne s'identifie pas à l'instant qu'il vit et que c'est comme être temporel doué de mémoire qu'il doit désormais s'intégrer dans le discours historique. Zakhor, *souviens-toi, le mot d'ordre redevient d'actualité.* »

« À propos de *Zakhor* », in *Les Juifs, la mémoire et le présent,* La Découverte, 1991, p. 51.

Au début de vos Mémoires, *vous écrivez : « Je vais faire un livre d'histoire autant que de mémoire » ; on peut le comprendre, puisque c'est en partie votre autobiographie. Mais est-ce la seule raison qui justifie une telle déclaration ?*

Bien sûr que non. Tout ceci part d'une réflexion à propos d'un article de Pierre Bourdieu paru dans les *Actes de le recherche en sciences sociales*, que je cite au début des *Mémoires*, sur le paradoxe autobiographique. Quand les gens écrivent leurs mémoires, en général ils se fichent de l'exactitude. On raconte toujours que Chateaubriand, lorsqu'il est allé en Amérique, a plongé dans une mer déchaînée – alors que le journal de bord du bateau donne : « Ce jour-là il faisait un temps magnifique. Monsieur de Chateaubriand a pris un petit bain de mer, à la suite de quoi il est remonté tranquillement dans le bateau. »

Je n'ai pas vérifié l'histoire, mais elle n'est pas totalement invraisemblable.

Je suis en train de relire *La Semaine sainte* d'Aragon. Dans ce livre, Aragon dit : « Je n'écris en aucun cas un roman historique. Il s'agit d'une œuvre de pure imagination. » Or, *La Semaine sainte* tourne autour de Napoléon à l'île d'Elbe, avec des personnages que l'on présente, mais que l'on nomme ensuite uniquement par leurs prénoms, et que l'on suit de Paris à la frontière belge. S'il existe *un* roman historique digne de ce nom, il va sans dire que c'est celui d'Aragon. C'est un merveilleux roman historique.

Pour revenir à l'histoire et au roman, il y a du vrai dans ce que dit Paul Veyne, dans *Comment on écrit l'histoire*. Il démontre bien que l'histoire est un discours vrai, mais que c'est un discours, un roman vrai... C'est pour ça que *La Semaine sainte* est un si beau livre.

Un historien qui écrit ses mémoires est assujetti à d'autres règles. Il doit, autant que possible, *vérifier*. Même Rousseau, qui est le fondateur de l'autobiographie moderne – il y a en a eu d'autres avant lui, il y a eu saint Augustin, mais il ne s'embarrasse pas de documents, c'est le moins que l'on puisse dire –, même Rousseau, donc, avait une liasse de documents pour compléter ses *Confessions*. Ça ne l'a pas empêché de raconter, apparemment, des tas de blagues, mais enfin il a essayé, en un sens, de combiner mémoire et histoire. Je suis sûr d'une chose, c'est qu'aucun historien digne de ce nom ne peut faire une histoire positiviste de lui-même, c'est tout à fait impossible. Ce qu'il peut essayer de faire, c'est donner une dimension historique à la mémoire. C'est cela que je dis et répète depuis pas mal d'années – au point que mon ami Arno Mayer m'a dit un jour : « Y en a marre avec la petite madeleine de Proust ! » Intégrer dans l'histoire la petite madeleine de Proust, c'est-à-dire la puissance du souvenir, et non pas la résurrection du passé – puisque je sais par définition que le passé l'est pour toujours –, mais sa conquête, pour reprendre le titre du livre d'Alain Schnapp sur l'archéologie, *La Conquête du passé*[1].

C'est ce que vous dites quand vous présentez au lecteur français le livre de Yosef Yerushalmi sur la mémoire juive,

1. *La Conquête du passé : aux origines de l'archéologie*, Paris, Carré, 1993.

Zakhor[1]: *« Il est grand temps d'intégrer la mémoire à l'histoire. Cela ne signifie pas, bien entendu, qu'il faille renoncer à séparer le vrai du faux. Cela signifie simplement que l'homme ne s'identifie pas à l'instant qu'il vit, et que c'est comme être temporel et doué de mémoire qu'il doit désormais s'intégrer dans le discours historique. »*

C'est, en effet, exactement de cela qu'il est question. Je ne pense pas que l'histoire seule réunit, je pense profondément qu'elle divise autant que la mémoire. Parce que l'histoire est par définition conflictuelle. Quel que soit l'effort que l'on fasse pour atteindre l'objectivité ou quelque chose qui y ressemble vaguement, ça ne marchera jamais jusqu'au bout. Regardez ce qui s'est passé dans les pays de l'Est : à l'exception de la Pologne, où il y avait une structure qui permettait à l'Église de faire pendant, en quelque sorte, au parti communiste, partout on a cherché à anéantir la mémoire et à fabriquer une histoire totalement imaginaire. Et une chose est commune à tous les pays d'Europe centrale et orientale : être roumain, bulgare, etc., c'est ne pas être juif. D'où le statut étrange des Juifs comme natio-

1. *Zakhor : histoire juive et mémoire juive*, traduit de l'anglais par É. Vigne, Paris, La Découverte, 1984.

nalité exclue. Bien sûr, Hitler a fait en sorte qu'elle le soit pour longtemps. Le moyen d'éviter ça, c'est justement de renverser les termes.

La première fois que je suis allé en Roumanie, c'était en 1967. On m'a expliqué que le vilain Monsieur Khrouchtchev voulait supprimer l'histoire de la Roumanie. Effectivement, on l'avait tellement supprimée qu'on avait expliqué que la Roumanie était un pays slave, et non pas un pays latin. D'ailleurs on avait écrit son nom « Roumania », et non « Romania ». Dès que cela a été possible, ils se sont mis à re-écrire Romania. Ils étaient partagés entre deux mémoires nationales. L'une était la mémoire dace : nous sommes le peuple des Daces et nous avons résisté aux Romains. L'autre, c'était la mémoire romaine, peu chérie par les communistes. Est-ce qu'ils s'en sont débarrassés ? Oui et non. Ils nous montrent les trois citadelles daces qu'ils ont fouillées. Mais il y avait un extravagant musée à Costanza, dont le directeur avait essayé de faire entrer toutes les strates de la société roumaine dans les cinq stades d'Engels. Il est évident que l'histoire divise. Qui fera la part, en Roumanie, entre l'élément dace et l'élément romain ? Et en y ajoutant l'élément slave, qu'on avait tendance à oublier complètement sous Ceauşescu.

Ce qui est sûr, c'est qu'un État totalitaire qui possède un pays, veut imposer une histoire et une seule. L'ennui, c'est qu'elle change à chaque tournant politique. D'où, par exemple, les révoltés du Caucase qui, suivant que telle ou telle tendance du parti communiste russe est au pouvoir, changent de sens...

C'est d'ailleurs ce qui vous a conduit à signer la pétition « Liberté pour l'histoire », affirmant que l'État n'a pas à légiférer.

En effet, le texte de cette pétition posait parfaitement tous les aspects du problème.

Émus par les interventions politiques de plus en plus fréquentes dans l'appréciation des événements du passé et par les procédures judiciaires touchant des historiens et des penseurs, nous tenons à rappeler les principes suivants : L'histoire n'est pas une religion. L'historien n'accepte aucun dogme, ne respecte aucun interdit, ne connaît pas de tabous. Il peut être dérangeant.

L'histoire n'est pas la morale. L'historien n'a pas pour rôle d'exalter ou de condamner, il explique. L'histoire n'est pas l'esclave de l'actualité. L'historien ne plaque pas sur le passé des schémas idéologiques contemporains et n'introduit pas dans les événements d'autrefois la sensibilité d'aujourd'hui.

L'histoire n'est pas la mémoire. L'historien, dans une démarche scientifique, recueille les souvenirs des hommes, les compare entre eux, les confronte aux documents, aux objets, aux traces, et établit les faits. L'histoire tient compte de la mémoire, elle ne s'y réduit pas. L'histoire n'est pas un objet juridique. Dans un État libre, il n'appartient ni au Parlement ni à l'autorité judiciaire de définir la vérité historique. La politique de l'État, même animée des meilleures intentions, n'est pas la politique de l'histoire.

C'est en violation de ces principes que des articles de lois successives notamment lois du 13 juillet 1990, du 29 janvier 2001, du 21 mai 2001, du 23 février 2005 ont restreint la liberté de l'historien, lui ont dit, sous peine de sanctions, ce qu'il doit chercher et ce qu'il doit trouver, lui ont prescrit des méthodes et posé des limites.

Nous demandons l'abrogation de ces dispositions législatives indignes d'un régime démocratique.

Si convaincu que je sois de la réalité de l'extermination nazie – et personne ne peut en être plus convaincu que moi –, je n'ai pas accepté la loi Gayssot, car j'estime que l'État n'a pas à se mêler de ce genre de choses.

Ce qui est sûr, c'est que l'histoire est un récit. Si c'est un récit, il faut autant que possible qu'il soit vrai. Mais mettez la même série de documents entre les mains de deux historiens : vous n'aurez *jamais* le même récit. Shlomo Sand [1] l'a très bien montré dans son dernier livre que j'ai eu l'honneur de préfacer. On y trouve un exemple extraordinaire de deux récits pour un même fait : « Haïm Naham Bialik a quitté *l'Exil* et est *monté* vers la *Terre d'Israël* quelques années avant les *pogroms* de *l'an 5689* », ou bien « Bialik a quitté son pays natal [l'Ukraine] et a émigré en Palestine mandataire avant 1929, année durant laquelle éclata une vague d'émeutes et d'opposition violente à la poursuite de la colonisation sioniste ». C'est une démonstration absolument magistrale.

Y a-t-il alors deux récits pour une même torture ?

Non, parce que quelle que soit l'abomination de Sétif, je ne la mets pas sur le même plan que les chambres à gaz. Je

1. *Les Mots et la terre. Les intellectuels en Israël*, Paris, Fayard, 2006.

considère que tout n'est pas comparable. Je pense qu'il y a eu un génocide arménien. Je pense qu'il était techniquement moins au point que le génocide nazi, mais l'intérêt d'un livre comme celui de Christopher Browning, *Des Hommes ordinaires* [1], un livre formidable, c'est de montrer que, là où il n'y avait pas de gaz, les Allemands tuaient à coups de fusil et poussaient les gens dans les fosses, et que le critère de la chambre à gaz c'était le réseau de chemin de fer. À partir du moment où il y avait des chemins de fer qui allaient en gare de Treblinka et en gare d'Auschwitz, on menait les gens à la chambre à gaz. Mais dans les régions de la Pologne profonde, il n'y avait pas de voies ferrées et, à ce moment-là, on exécutait avec d'autres moyens.

S'il y a pluralité des récits historiques, il y a bien entendu pluralité des mémoires.

Oui, et j'affirme depuis longtemps que l'histoire est forcément en opposition avec la mémoire ; la mémoire est première, c'est évident. Mais les mémoires sont aussi

1. *Des hommes ordinaires : le 101e bataillon de réserve de la police allemande et la solution finale en Pologne*, traduit de l'anglais par É. Barnavi, préface de Pierre Vidal-Naquet, Paris, Les Belles Lettres, 1994, rééd. 2005.

en concurrence, elles se disputent les unes aux autres le monopole et la primauté. Elles sont antagonistes : « Ôte ta mémoire de là que j'y mette la mienne », comme on le voit très bien dans le cas de Jérusalem, à propos de laquelle Elias Sanbar et Farouk Mardam-Bey ont publié un livre très intéressant : *Jérusalem, le sacré et le politique*[1]. En effet, trois mémoires se fondent à Jérusalem : la mémoire arabo-palestinienne, la mémoire juive et la mémoire chrétienne. Mais ces mémoires autour des lieux saints produisent une contraction considérable des problèmes, dont les discussions actuelles sur le statut de Jérusalem sont le parfait exemple. Le seul moyen de s'en sortir est d'admettre une bonne fois pour toutes le pluralisme et la pluralité des mémoires.

Je répète souvent que l'identité se construit autour de la négation et de l'exclusion et je n'admets pas l'exclusivité mémorielle, je la refuse absolument, d'où qu'elle vienne, juive, arabe, chrétienne, arménienne, etc. Et je n'admets pas non plus l'obsession de la mémoire en tant qu'obsession.

---

1. Sindbad, Actes Sud, 2000.

Dans sa pratique comme dans sa fonction, l'historien est ainsi conduit à pointer et à rejeter les préjugés et les légendes.

Aujourd'hui, il y a une fonction sociale de l'historien qui consiste en effet à casser les légendes, à *« remplir tout l'entre-deux »*, comme disait Pascal. Si l'on prend l'exemple de l'Algérie, on constate que c'est seulement maintenant que l'on commence à se souvenir qu'il y a eu des Français là-bas. Pendant très longtemps, c'était tabou. Les Algériens ont voulu effacer une partie de leur passé et se sont inventé une tradition nationale qui commençait avec Jugurtha. Or, Jugurtha n'est pas plus algérien que vous et moi !

La guerre a été représentée, en particulier par les Algériens, comme une guerre victorieuse. C'est ce que montre un des historiens que j'admire le plus, Mohammed Harbi, parce que, après avoir participé à la bataille, il s'est consacré véritablement à l'histoire, et son livre sur le *FLN, Mirage et réalité*[1], est un travail extraordinaire. C'est un des types les plus géniaux que j'aie rencontrés de ma vie. Je l'admire parce que, au sortir d'une vie de militant, il s'est fait historien, et a pris de la distance à l'égard du FLN

1. *Le FLN : mirage et réalité*, Paris, Jeune Afrique, 1980.

dont il avait été un membre ardent et convaincu. Il a pris la distance nécessaire, c'est un cas presque unique.

C'est aussi tout ce que vous dites finalement de la définition, de votre définition, un peu idéale, de l'historien ?

Oui, comme traître.

L'obsession mémorielle n'attise-t-elle pas, en retour, une résurgence de l'antisémitisme ?

Ce que j'appelle le nouvel antisémitisme, c'est le fait que l'on s'est mis à contester aux Juifs leur propre histoire. Si je suis contre l'obsession mémorielle, je n'admets pas non plus qu'on assassine la vérité. À ce titre, je considère Pierre Guillaume et ses amis de « la Vieille Taupe » comme des ennemis qu'il faut combattre avec la dernière énergie. Pour moi, ce sont des ennemis de l'histoire. Quand j'ai appris l'existence des négationnistes, je me suis dit qu'il y avait tout de même un moment où il fallait cesser d'identifier l'histoire au récit. Tout n'est pas relatif et tout n'est pas narratif. Je suis autant conscient qu'un autre de l'importance du récit, mais à un moment il faut savoir s'arrêter. Entre mémoire et histoire, c'est un jeu constant. Mon idée, c'est que la mémoire doit entrer dans l'histoire comme objet d'étude, c'est ma fameuse madeleine de Proust. L'historien doit être aussi un historien de la mémoire. C'est ce que j'ai essayé de faire justement pour Massada avec Flavius Josèphe. Il faut intégrer Massada dans l'histoire et voir à partir de quel moment se constitue une mémoire.

Dans ces conditions, on pourrait s'étonner de votre opposition à la loi Gayssot.

Je suis contre la loi Gayssot pour des raisons qui ont été, mieux que par moi, exposées par Madeleine Rebérioux dans un article de *L'Histoire* et dans un article du *Monde*. Je suis contre, à cause de l'expérience soviétique. Il ne faut pas qu'il y ait des vérités d'État. Or la loi Gayssot suppose que le massacre des Juifs est une vérité d'État. Si l'on ne veut pas qu'il y ait des vérités d'État, il ne faut pas qu'il y ait des lois pour en imposer. J'ai toujours pensé que la Shoah était l'affaire des historiens, mais pas l'affaire de l'État. Je le pense toujours. J'ai là-dessus des adversaires nombreux, y compris à l'extrême gauche, mais je pense que la loi Gayssot c'est le début d'une historiographie officielle. J'ai d'ailleurs pris cette position dès 1990. Le dernier sous-chapitre de *Un Eichmann de papier* s'appelle « Vivre avec Faurisson ». C'était aller très loin…

On assiste depuis quinze ou vingt ans, à l'entrée de plus en plus franche de l'historien comme expert dans le prétoire. Ne va-t-il pas imposer un récit ?

On m'a demandé de témoigner au procès Barbie. J'ai refusé, parce que je pouvais jurer de parler sans crainte, mais pas de parler sans haine. C'est la même chose pour le procès Papon. J'ai écrit un article particulièrement violent dans *L'Evénement du jeudi*, mais je ne serais pas allé déposer comme historien au procès Papon. Robert Paxton s'y est rendu, mais, lui, du fait qu'il est américain, a suffisamment de distance pour parler de ces questions sans crainte et sans haine. Je ne suis pas absolument certain que l'historien aït sa place dans le prétoire. Ça ne me choque pas, mais, comme je vous l'ai dit, j'ai personnellement refusé, parce que je ne pouvais pas jurer de parler sans haine de Maurice Papon.

L'histoire ne peut jamais enlever la haine ?

Elle le peut, mais ça demande un effort. En l'occurrence, je me souviens d'une manifestation à la fin de la guerre d'Algérie, où j'étais avec Germaine Tillion, et où j'ai dit : « ce Papon, je le tuerais volontiers ». Elle m'a répondu : « moi, je ne le tuerais pas, mais je témoignerais pour celui qui le ferait ». J'avais trouvé cela absolument délicieux – surtout quand on connaît la douceur profonde de Germaine Tillion.

Mais que fait-on lorsqu'on se trouve devant un « tribunal d'historiens », comme cela s'est produit pour Lucie et Raymond Aubrac ?

On n'accepte pas. J'ai détesté cette opération. Le seul type qui s'en est bien tiré, c'est Vernant. Celui qui a été terrible, c'est Daniel Cordier. Il a baissé dans mon estime, à ce moment-là. Le cas de Daniel Cordier est intéressant, parce qu'il a critiqué l'histoire de la Résistance en apportant des archives de Jean Moulin – d'où priorité de l'écrit contemporain sur le témoignage, oui. Il n'empêche qu'il y a des choses qu'on ne peut savoir que par le témoignage oral. Et lui, il met tout ça au panier. C'est une réaction qui s'explique : il est assez normal que pour travailler sur Jean Moulin il faille aller voir d'abord les registres de la préfecture de Chartres, de la sous-préfecture d'Albertville, et voir chaque fois comment a agi le préfet, le sous-préfet, etc. C'est tout à fait justifié, mais il est allé un peu loin. Je pense qu'on ne peut se faire une idée de la couleur d'une époque qu'en interrogeant des témoins vivants, quand on a la chance de les avoir. Bien sûr, je n'ai pas interrogé Platon...

Pour conclure :
l'amitié, la poésie

La lune s'attristait. Des séraphins en pleurs
Rêvant, l'archet aux doigts, dans le calme des fleurs
Vaporeuses, tiraient de mourantes violes
De blancs sanglots glissant sur l'azur des corolles.
C'était le jour béni de ton premier baiser.
Ma songerie aimant à me martyriser
S'enivrait savamment du parfum de tristesse
Que même sans regret et sans déboire laisse
La cueillaison d'un Rêve au cœur qui l'a cueilli.
J'errais donc, l'œil rivé sur le pavé vieilli
Quand avec du soleil aux cheveux, dans la rue
Et dans le soir, tu m'es en riant apparue
Et j'ai cru voir la fée au chapeau de clarté
Qui jadis sur mes beaux sommeils d'enfant gâté

Passait, laissant toujours de ses mains mal fermées
Neiger de blancs bouquets d'étoiles parfumées.

Mallarmé, Apparition *(1887)*

[Ce poème est ainsi évoqué par Pierre Vidal-Naquet dans ses *Mémoires* (I, p. 23) : « Ce ne sont plus les vers de Mallarmé que je préfère, mais c'est ainsi que je me représentais la jeune maman de ma petite enfance, un peu plus tard, aux environs de 1942. »]

Au moment où nous terminions ces entretiens, vous avez souhaité revenir une fois encore sur l'amitié, une passion essentielle dans votre vie.

Oui, je souhaite qu'on n'oublie pas les amitiés. J'aimerais qu'on en parle. Si loin que je remonte dans le passé, j'ai toujours fait partie de groupes. Ça commence à se fixer à partir de la classe de quatrième à peu près. Il y avait Alain Michel, qui a tellement intériorisé les valeurs universitaires qu'il est devenu professeur de latin à la Sorbonne, Robert Bonnaud, un très vieil ami et camarade de luttes, qui a été extrêmement courageux pendant la guerre d'Algérie. Il y a eu Gérald Hervé, qui est mort tragiquement en 1998, déchiqueté par un bateau ; avec moi, ça faisait quatre.

Ensuite, il y a eu ce que j'appellerais des substituts parentaux et des substituts fraternels. Mon frère n'était pas mon meilleur ami, parce qu'il était mon cadet, et ma sœur aussi ; mon jeune frère est mort quand il avait vingt ans. Mais j'ai eu des amis qui ont joué le rôle de substituts fraternels, voire de substituts maternels.

J'aimerais en évoquer quelques-uns. En seconde, j'étais en classe avec un garçon qui s'appelait Noël Alexandre, il fut un ami très chaleureux et a épousé ensuite une de nos camarades de khâgne, Monique Barthélemy. Nous étions un petit groupe de quatre : Zayane Spanien, fille de Sam Spanien qui avait bien connu mon père, Catherine Blum, qui a épousé Charles Malamoud, Charles Malamoud, et moi.

Charles Malamoud est le seul pour lequel je puisse parler d'un coup de foudre en amitié. On avait pris l'habitude de se raccompagner l'un l'autre depuis Vincennes jusqu'au VIIe arrondissement, ce qui faisait un bon petit bout de chemin. Depuis la station Bérault, à Vincennes, au-delà de la Porte de Vincennes, jusqu'à la rue de Varenne où j'ai habité à partir de la deuxième année de khâgne.

Dans le groupe des « Imprudents[1] », il y avait aussi Pierre Nora, autre substitut fraternel.

1. Voir plus haut, p. 22-23, sur la revue *Imprudence.*

Pour les substituts parentaux, c'étaient les parents de tel ou tel camarade ; je pense à Sam Spanien qui était chargé de me convaincre de prendre le métier d'avocat. Quand je me suis fiancé avec Geneviève, ma famille m'a convoqué pour me dire : « Maintenant que tu fondes une famille, il faut que tu aies un métier sérieux. » Ce fameux métier sérieux, c'était pour eux le métier d'avocat, ce que j'ai obstinément refusé. Je ne tenais certainement pas à être directement l'héritier de mon père. J'avais décidé de faire de l'histoire et de devenir historien.

Quand vous rencontrez Madeleine Rebérioux vous êtes déjà vraiment dans votre maturité, donc c'est plutôt une sœur pour vous ?

Oui, une sœur aînée. La grande amitié de la guerre d'Algérie, ça a été évidemment Madeleine ; nous avons passé de nombreux dimanches en famille, chez Jean et Madeleine Rebérioux, à Saint-Maur. Elle était un substitut fraternel. En un sens, Vernant aussi, parce que je n'ai jamais pu le prendre pour un père.

Mais il est vrai que, comme j'ai perdu mes parents très tôt, j'ai connu directement beaucoup d'amis de mes parents. C'était le cas des Spanien, d'André Boissarie, procureur général à la Libération, qui m'invitait régulièrement à dîner, quand j'avais dix-sept ans, et que j'ai retrouvé ensuite comme vice-président de la Ligue des droits de l'homme. C'était le cas, si l'on veut, de Daniel Mayer, qui était un homme tout à fait exquis. Et puis, il y avait quelqu'un qui, la dernière fois que je lui ai parlé, m'a dit : « tu es mon meilleur ami » – c'était Jérôme Lindon. Je l'avais rencontré pour la première fois pendant la guerre. Il était venu avec ses parents chez nous à Marseille, et je l'ai retrouvé au moment de l'affaire Audin.

On comprend aisément en quoi le Jaurès *de Madeleine Rebérioux vous a influencé, mais que vous ont apporté les travaux de Charles Malamoud, spécialiste de l'Inde ancienne ?*

Les travaux de Charles sont très différents des miens. Charles, c'est un homme qui irrigue ; c'est comme un champ que l'on irrigue et, au bout d'un certain temps, on s'aperçoit qu'il n'y a plus que quelques bouts de terre qui surnagent. Dans un certain sens, il avait quelque chose de commun avec Louis Gernet, dont je n'ai pas suivi l'enseignement, mais qui a marqué ma vie.

Comme vous, il allie l'engagement politique à une érudition prodigieuse.

Nous sommes partis de positions littéralement inversées, il l'a complètement oublié lui-même. En 1967, Charles était très hostile à Israël, et il disait : « Non, il faut s'accrocher, il faut soutenir l'idée d'une Palestine où vivraient à la fois des Juifs et des Arabes. » Ce qui me paraissait totalement utopique. Tandis que moi j'affirmais : « Non, Israël n'est pas l'Algérie, mais elle risque de le devenir », et aujourd'hui je dirais que l'algérianisation d'Israël est en marche, et que c'est le pire danger qui puisse menacer ce pays.

Récemment, Charles a préfacé le livre extraordinaire de David Schulman sur les pacifistes israéliens qui tentent d'aider les Palestiniens[1]. Et d'une certaine manière, il est maintenant plutôt plus pro-Israélien que moi. Mais, cela dit, il reste pacifiste, naturellement, et son dernier texte de ce point de vue est absolument magnifique.

---

1. *Ta'ayush, op. cit.*, 2006.

À côté de votre meilleur ami, vous avez souvent évoqué votre « grand frère », l'homme qui vous a le plus influencé, dites-vous, votre cousin Jacques Brunschwig.

Oui, il est en particulier à l'origine de mon travail sur l'Atlantide, puisque c'est lui qui un jour m'a montré le début du *Timée* de Platon avec la fameuse apostrophe à Solon que j'aime citer : « Solon, Solon, vous autres Grecs, vous êtes d'éternels enfants... » C'est lui qui m'a conduit à m'intéresser à Platon, à travailler sur la conception platonicienne de l'histoire ; il a été à la fois un substitut fraternel et un substitut paternel. Réussissant tout ce que je ratais, il n'a pas connu d'autre place que la première dans la hiérarchie scolaire de la onzième à l'agrégation. Toujours premier. Au bout d'un moment, ça a même commencé à lui peser...

Chacun de nos entretiens a été ponctué par des extraits de poèmes que vous avez récités spontanément. Quel rôle a joué la poésie dans votre vie intellectuelle et spirituelle ?

Je termine mon *Atlantide* par les « Phares » de Baudelaire :

Rubens, fleuve d'oubli, jardin de la paresse,
Oreiller de chair fraîche où l'on ne peut aimer,
Mais où la vie afflue et s'agite sans cesse
Comme l'air dans le ciel et la mer dans la mer ;

Léonard de Vinci, miroir profond et sombre
(...)
Car c'est vraiment, Seigneur, le meilleur témoignage
Que nous puissions donner de notre dignité
Que cet ardent sanglot qui roule d'âge en âge
Et vient mourir au bord de votre éternité !

Ces vers, c'est ma mère qui me les a appris quand j'avais douze ou treize ans, et je les relis régulièrement.

Plus tard, au sortir du lycée, j'ai découvert René Char, et ce fut un éblouissement. C'est sous son égide que nous avons fondé, avec quelques amis, l'éphémère revue *Imprudence* dont je vous ai déjà parlé. Cet homme et sa poésie ont marqué ma vie. Je connais beaucoup de poèmes de Char, ainsi « Hymne à voix basse » qui commence par ces vers :

« *L'Hellade c'est le rivage déployé d'une mer géniale d'où s'élancèrent à l'aurore le souffle de la connaissance et le magnétisme de l'intelligence, gonflant d'égale fertilité des pouvoirs qui semblèrent perpétuels [...] »*

Chez les auteurs anciens, vers qui va votre préférence ?

On peut dire que celui que j'admire le plus, c'est Sophocle. S'il fallait choisir un modèle de perfection, c'est vraiment Sophocle que je choisirais. Mais pour le plaisir de lecture, c'est l'*Odyssée.*

La poésie, c'est quelque chose à quoi vous vous êtes arrimé, accroché depuis toujours, quelque chose qui vous a rapproché de votre enfance ?

Oui, et qui me raccroche à la vie, tout simplement.

Postface

C'est l'histoire des sociétés et des pensées juives qui nous rapprochait. Toujours à l'affût d'une référence, lecteur insatiable, il était un des rares à vous dénicher une note qui vous manquait, vous la communiquant de préférence tôt le matin. J'ai d'abord rencontré sa générosité intellectuelle avant son acribie. Il pouvait être tranchant, mais c'est parce qu'il avait besoin de substance pour se mesurer, pour chercher. Ses préfaces, ses postfaces, étaient aussi une manière de reconnaître ses dettes.

Récemment encore, l'enseignement des *Judaica*, si développé en Allemagne, aux États-Unis et en Israël, était relativement discret en France. Quelques chaires, Paris, Strasbourg, Lyon, souvent très philologiques et techniques, et l'École pratique des hautes études (EPHE) puis l'École des hautes études en sciences sociales (EHESS) : il fallait partir pour apprendre. Pierre Vidal-Naquet en était un acteur discret, vigilant, mais enthousiaste. Son intérêt pour l'historiographie, sa connaissance des mondes anciens, mais surtout ses combats contre les négationnistes furent des aiguillons.

Pendant ces entretiens, les échanges furent souvent intenses. Il évitait de répondre tout de suite, attendait, revenait, s'exécutait, se corrigeait ; les termes *peuple élu*, *transcendance*, *destin* étaient comme des projectiles qui le bousculaient. Ses engagements multiples imposaient des éclaircissements afin de discerner le « bon usage de Pierre Vidal-Naquet » puisque, depuis la mort de Raymond Aron, il était une référence intellectuelle et politique, même pour ceux qui ne partageaient pas ses analyses.

Reste une œuvre de détours, de provocations, d'intelligence et de grande probité. Nul doute qu'il aurait repris certaines formules de ces entretiens, amendé quelques jugements et amélioré le style. Nous avons pensé qu'il valait mieux respecter sa fougue, une dernière fois.

Dominique Bourel
CNRS

Bibliographie sélective

Ouvrages

L'Affaire Audin, Paris, Éditions de Minuit, 1958 ; rééd. augm., 1989.

La Raison d'État : textes publiés par le Comité Maurice Audin, Paris, Éditions de Minuit, 1962 ; rééd. Paris, La Découverte, 2002.

En collaboration avec Pierre Lévêque, *Clisthène l'Athénien : essai sur la représentation de l'espace et du temps dans la pensée politique grecque, de la fin du VIe siècle à la mort de Platon*, Paris, Les Belles Lettres, 1964 ; rééd. Paris, Macula, 1983 et 1992.

Le Bordereau d'ensemencement dans l'Égypte ptolémaïque, Bruxelles, Fondation égyptologique Reine Élisabeth, 1967.

En collaboration avec Alain Schnapp, *Journal de la Commune étudiante*, Paris, Le Seuil, 1969 ; nouv. édition, préface de Pierre Sorlin, Paris, Le Seuil, 1988.

La Torture dans la République : essai d'histoire et de politique contemporaine 1954-1962, Paris, Éditions de Minuit, 1972 ; rééd. 1998.

En collaboration avec Jean-Pierre Vernant, *Mythe et tragédie en Grèce ancienne*, I, Paris, La Découverte, 1972.

Les Crimes de l'armée française: Algérie 1954-1962, Paris, Maspero, 1975 ; rééd. augm. d'une préface de l'auteur, Paris La Découverte, 2005.

Le Chasseur noir. Formes de pensée et formes de société dans le monde grec, Paris, Maspero, 1981 ; rééd. Paris, La Découverte, 2005.

Les Juifs, la mémoire et le présent, I et II, Paris, Maspero, 1981 ; rééd. Paris, Le Seuil, 1995.

Une Fidélité têtue: la résistance française à la guerre d'Algérie, Turku, Université de Turku, 1985.

En collaboration avec Jean-Pierre Vernant, *Œdipe et ses mythes*, Paris, La Découverte, 1986 ; rééd. Éditions Complexe, 1988.

En collaboration avec Jean-Pierre Vernant, *Mythe et tragédie en Grèce ancienne*, II, Paris, La Découverte, 1986.

Les Assassins de la mémoire. « Un Eichmann de papier » et autres essais sur le révisionnisme, Paris, La Découverte, 1987 ; rééd. Paris, Le Seuil, 1995.

En collaboration avec Jean-Pierre Vernant, *Travail et esclavage en Grèce ancienne*, Bruxelles, Éditions Complexe, 1988.

Face à la raison d'État: un historien dans la guerre d'Algérie, Paris, La Découverte, 1989.

La Démocratie grecque vue d'ailleurs: essais d'historiographie ancienne et moderne, Paris, Flammarion, 1990.

En collaboration avec Jean-Pierre Vernant, *La Grèce ancienne*, I. *Du mythe à la raison*, Paris, Le Seuil, 1990.

En collaboration avec Jean-Pierre Vernant, *Grèce ancienne*, II. *L'Espace et le Temps*, Paris, Le Seuil, 1991.

En collaboration avec Jean-Pierre Vernant, *La Grèce ancienne*, III. *Rites de passage et transgressions*, Paris, Le Seuil, 1992.

En collaboration avec Jean-Pierre Vernant, Françoise Frontisi-Ducroux, François Hartog, *La Pensée grecque*, Paris, AREHESS, 1992.

Mémoires, I. *La brisure et l'attente, 1930-1955*, Paris, Le Seuil/ La Découverte, 1995.

Le Trait empoisonné. Réflexions sur l'Affaire Jean Moulin, Paris, La Découverte, 1993 ; rééd. 2002.

Macriyannis et la Grèce antique, Athènes/Paris, Daedalus/ Société d'études néo-helléniques, 1995.

Les Juifs, la mémoire, et le présent, III. *Réflexions sur le génocide*, Paris, La Découverte, 1995.

La Démocratie grecque vue d'ailleurs. Essai d'historiographie ancienne et moderne, Paris, Flammarion, 1996.

Mémoires, II. *Le trouble et la lumière, 1955-1998*, Paris, Le Seuil/ La Découverte, 1998.

Les Grecs, les historiens, la démocratie. Le grand écart, Paris, La Découverte, 2000.

Le Monde d'Homère, Paris, Perrin, 2000.

En collaboration avec Jean-Paul Brisson, Élisabeth Brisson, Jean-Pierre Vernant, *Démocratie, citoyenneté et héritage gréco-romain*, Paris, Éditions Libris, 2000 ; rééd. 2004.

Le Miroir brisé. Tragédie athénienne et politique, Paris, Les Belles Lettres, 2002.

Fragments sur l'art antique, Paris, Agnès Viénot éditions, 2002.

Le Choix de l'Histoire : pourquoi et comment je suis devenu historien, Paris, Arléa, 2003.

L'Atlantide. Petite histoire d'un mythe platonicien, Paris, Les Belles Lettres, 2005.

Préfaces, postfaces, introductions

Préface à Robert Bonnaud, *Itinéraire*, Paris, Éditions de Minuit, 1962.

Préface à Marcel Detienne, *Les Maîtres de vérité en Grèce dans la Grèce archaïque*, Paris, Maspero, 1967, rééd. Paris, Pocket, 1995.

Introduction à Michel Austin, *Économies et sociétés en Grèce ancienne*, Paris, Armand Colin, 1972 ; rééd. 1996.

Introduction à John Chadwick, *Le Déchiffrement du linéaire B*, trad. fr. Pierre Ruffel, Paris, Gallimard, 1972.

Préface à Michael R. Marrus, *Les Juifs de France à l'époque de l'affaire Dreyfus : l'assimilation à l'épreuve*, trad. fr. Micheline Legras, Paris, Calmann-Lévy, 1972.

Préface à Sophocle, *Tragédies : théâtre complet...* , trad. fr. Paul Mazon, notes René Langumier, Paris, Gallimard, 1973.

Préface à Françoise Frontisi-Ducroux, *Dédale : mythologie de l'artisan en Grèce ancienne*, Paris, Maspero, 1975 ; rééd. Paris, La Découverte, 2000.

Préface à Homère, *Iliade*, trad. fr. Paul Mazon, Paris, Gallimard, 1975.

Préface à Richard Marientras, *Être un peuple en diaspora*, Paris, Maspero, 1975.

« Flavius Josèphe ou Du bon usage de la trahison », introduction à Flavius Josèphe, *La Guerre des Juifs*, trad. fr. Pierre Savinel, Paris, Éditions de Minuit, 1976.

Préface (en collaboration avec Michel Foucault) à Bernard Cuau, *L'Affaire Mirval ou Comment le récit abolit le crime*, Paris, Presse d'aujourd'hui, 1976.

Préface à Moses I. Finley, *Démocratie antique et démocratie moderne*, trad. fr. Monique Alexandre, Paris, Payot, 1976.

Préface à Maurice Rajsfus, *Des Juifs dans la collaboration. L'UGIF, 1941-1944 ; précédé d'une courte étude sur les juifs de France en 1939*, Paris, ÉDI, 1980.

Préface à Gilbert Meynier, *L'Algérie révélée : la guerre de 1914-1918 et le premier quart du XXe siècle*, Genève, Droz, 1981.

Préface à Jesùs Ynfante, *Un crime sous Giscard : l'affaire de Broglie, l'Opus Dei, Matesa*, Paris, Maspero, 1981.

« Dreyfus dans l'Affaire et dans l'histoire », introduction à Alfred Dreyfus, *Cinq années de ma vie, 1894-1899*, postface de Jean-Louis Lévy, Paris, Maspero, 1982 ; rééd. Paris, La Découverte, 2006.

Préface à Eschyle, *Tragédies : les Suppliantes, les Perses, les Sept contre Thèbes, Prométhée enchaîné, Orestie*, éd. et trad. fr. Paul Mazon, Paris, Gallimard, 1982.

Préface à Marek Edelman, *Mémoires du ghetto de Varsovie : un dirigeant de l'insurrection raconte*, trad. fr. Pierre Li et Maryna Ochab, Paris, Éditions du Scribe, 1983 ; rééd. Paris, Liana Levi, 2002.

« Flavius Arrien entre deux mondes », postface à Flavius Arrien, *L'Histoire d'Alexandre*, trad. fr. Pierre Savinel, Paris, Éditions de Minuit, 1984.

Préface à Tribunal permanent des peuples (Session 13-16 avril 1984), *Le Crime du silence : le génocide des Arméniens*, Paris, Flammarion, 1984.

Préface à Jacob Katz, *Hors du ghetto : l'émancipation des Juifs en Europe (1770-1870)*, trad. fr. Jean-François Sené, Paris, Hachette, 1984.
Préface à Hélène Monsacré, *Les Larmes d'Achille : le héros, la femme et la souffrance dans la poésie d'Homère*, Paris, Albin Michel, 1984.
Préface à Harold C. Baldry, *Le Théâtre tragique des Grecs*, trad. fr. Jean-Pierre Darmon, Paris, Presses Pocket, 1985.
Préface à Moses I. Finley, *L'Invention de la politique : démocratie et politique en Grèce et dans la Rome républicaine*, trad. fr. de Jeannie Carlier, Paris, Flammarion, 1985.
Préface à Miguel Benasayag, *Utopie et liberté : les droits de l'homme, une idéologie ?*, avec la collaboration de François Gèze, Paris, La Découverte, 1986.
Préface à Jean-Luc Einaudi, *Pour l'exemple : l'affaire Fernand Iveton*, Paris, L'Harmattan, 1986.
Préface à Victor Leduc, *Les Tribulations d'un idéologue*, Paris, Syros, 1986.
Préface à Giannis Macriyannis, *Mémoires*, trad. fr., introd. et notes de Denis Kohler, Paris, Albin Michel, 1986.
Préface à François Laplanche et Chantal Grell (éd.), *La Monarchie absolutiste et l'histoire en France : théories du pouvoir, propagandes monarchiques et mythologies nationales (colloque tenu en Sorbonne les 26-27 mai 1986)*, Paris, Université de Paris-Sorbonne, 1987.
Préface à Juliette Minces, *L'Algérie de la Révolution : 1963-1964*, Paris, L'Harmattan, 1988.
Préface à Chantal Grell, *L'École des princes ou Alexandre disgracié : essai sur la mythologie monarchique de la France absolutiste*, Paris Les Belles Lettres, 1988.

Préface à Flavius Josèphe, *Massada : la première guerre des juifs contre les Romains*, texte adapt. par Claude Moliterni, dessins, Jean-Marie Ruffieux, Paris/ Barcelone/ Bruxelles, Dargaud, 1988.

Préface à Hervé Barelli (éd.), *La Révolution française à Fayence : 1789-1799*, Fayence, Cercle d'études et de recherches sur l'histoire de Fayence, 1989.

Préface à Claude Calame, *Thésée et l'imaginaire athénien : légende et culte en Grèce antique*, Lausanne, Payot, 1990 ; rééd. 1996.

Préface à Karl Jaspers, *La Culpabilité allemande*, trad. fr. Jeanne Hersch, Paris, Éditions de Minuit, 1990.

Préface à Arno Mayer, *La Solution finale dans l'histoire*, trad. fr. Marie-Gabrielle et Jeannie Carlier, Paris, La Découverte, 1990 ; rééd. 2002.

Préface à Enzo Traverso, *Les Marxistes et la question juive : histoire d'un débat, 1843-1943*, Paris, La Brèche-PEC, 1990 ; rééd. Paris, Kimé, 1997.

Préface à Diodore de Sicile, *Naissance des dieux et des hommes, livres I et II*, éd. et trad. fr. Michel Casevitz, Paris, Les Belles Lettres, 1991 ; 2e éd. rev. et corr. 2000.

Préface à Bernard Fride, *Une mauvaise histoire juive*, Paris, Ramsay, 1991.

Préface à Simon Laks, *Mélodies d'Auschwitz*, trad. fr. Laurence Dyèvre, Paris, Éditions du Cerf, 1991 ; rééd. 2004.

Préface à Nadine Heftler, *« Si tu t'en sors » : Auschwitz, 1944-1945*, Paris, La Découverte, 1992.

Préface à Christian Oppetit (dir.), *Marseille, Vichy et les nazis : le temps des rafles, la déportation des juifs*, Marseille,

Amicale des déportés d'Auschwitz et des camps de Haute-Silésie, 1993 ; rééd. 2005.

Préface à Laurette Alexis-Monet, *Les Miradors de Vichy*, Paris, Éd. de Paris, 1994 ; éd. augm. 2001.

Préface à Christopher R. Browning, *Des hommes ordinaires : le 101e bataillon de réserve de la police allemande et la solution finale en Pologne*, trad. fr. Élie Barnavi, Paris, Les Belles Lettres, 1994 ; éd. revue et augm. d'une postface traduite par Pierre-Emmanuel Dauzat, 2005.

Préface à Simon Doubnov, *Histoire moderne du peuple juif : 1789-1938*, trad. fr. S. Jankélévitch, Paris, les Amis de Simon Doubnov/ Éditions du Cerf, 1994.

Préface à Florent Brayard, *Comment l'idée vint à M. Rassinier : naissance du révisionnisme*, Paris, Fayard, 1996.

Postface à Catherine Saladin-Grizivatz, *Il n'y a pas de saison pour la mort. Maurice Ajzen raconte : Auschwitz-Birkenau*, Varsovie, Dachau, Paris, Denoël, 1997.

Préface à Anahide Ter Minassian, *Histoires croisées : diaspora, Arménie, Transcaucasie*, 1890-1990, Toulouse, Édition Parenthèses, 1997.

Préface à Martine Leibovici, *Hannah Arendt, une juive : expérience, politique et histoire*, Paris, Desclée de Brouwer, 1998 ; rééd. 2002.

Postface à Euripide, *Théâtre complet*, I. introd. générale, bibliogr. et chronologie par Monique Trédé, trad. fr. notices introductives et notes par Laurence Villard, Claire Nancy et Christine Mauduit avec la collab. de Monique Trédé, Paris, Flammarion, 2000.

Préface à Paulette Péju, *Ratonnades à Paris* ; précédé de *Les*

Harkis à Paris, introduction Marcel Péju ; postface François Maspero, Paris, La Découverte, 2000.

Préface à Thucydide, *La Guerre du Péloponnèse*, éd. et trad. fr. Denis Roussel, Paris, Gallimard, 2000.

Postface à Sylvie Thénault, *Une drôle de justice. Les magistrats dans la guerre d'Algérie*, préface Jean-Jacques Becker, Paris, La Découverte, 2001 ; rééd. 2004.

Préface à Patrick Coupechoux (éd.), *Mémoires de déportés : histoires singulières de la déportation* ; introd. et notes de Anne Grynberg, Christine Levisse-Touzé et Vincent Giraudier, Paris, La Découverte, 2003.

Préface à Stanislas Hutin, *Journal de bord : Algérie, novembre 1955-mars 1956* ; suivi d'un entretien de l'auteur avec Sybille Chapeu, Toulouse, Groupe de recherche en histoire immédiate, 2003.

Préface à Michel Laffitte, *Un engrenage fatal. UGIF face aux réalités de la Shoah (1941-1944)*, Paris, Liana Levi, 2003.

Préface à Middle East Watch, *Génocide en Irak : la campagne d'Anfal contre les Kurdes*, trad. fr. Claire Bremond, Paris, Éd. Karthala, 2003.

Préface à Danielle Bailly (éd.), Traqués, cachés, vivants : des enfants juifs en France (1940-1945), Paris/ Budapest/ Turin, L'Harmattan, 2004.

« Castoriadis et la Grèce ancienne », préface à Cornelius Castoriadis, *Ce qui fait la Grèce*, I. *D'Homère à Héraclite : séminaires 1982-1983*, Paris, Le Seuil, 2004.

Préface à Jean-François Forges, *Éduquer contre Auschwitz. Histoire et mémoire*, Paris, Pocket, nouv. éd. augm. 2004.

Préface à PRIME (Peace Research Institute in the Middle

East), *Histoire de l'autre*, trad. fr. Rosie Pinhas-Delpuech et Rachid Akel, Paris, Liana Levi, 2004.

Préface à Chantal Foucrier et Lauric Guillaud (éd.), *Atlantides imaginaires : réécritures d'un mythe* (Colloque du Centre culturel international de Cerisy-la-Salle du 20 au 30 juillet 2002), Paris, Houdiard, 2005.

Préface à Antoine Prost, *Carnets d'Algérie*, Paris, Le Grand livre du mois, impr. 2005.

Préface à Maxime Rodinson, *Souvenirs d'un marginal*, Paris, Fayard, 2005.

Préface à Shlomo Sand, *Les Mots et la Terre : les intellectuels en Israël*, trad. fr. Levana Frenk, Michel Bilis et Jean-Luc Gavard, Paris, Fayard, 2006.

Table

Pour l'éditeur, le principe est d'utiliser des papiers composés de fibres naturelles, renouvelables, recyclables et fabriquées à partir de bois issus de forêts qui adoptent un système d'aménagement durable.

En outre, l'éditeur attend de ses fournisseurs de papier qu'ils s'inscrivent dans une démarche de certification environnementale reconnue.

Imprimé en Espagne, par LITOGRAFIA ROSÉS S.A. (Gava)
HACHETTE LITTÉRATURES - 31 rue de Fleurus - 75006 PARIS
Collection n° 25 - Édition 01
Dépôt légal : 09/10